山海经

高山 编著

〔第三册〕

光明日报出版社

明·胡文焕图本

清·汪绂图本

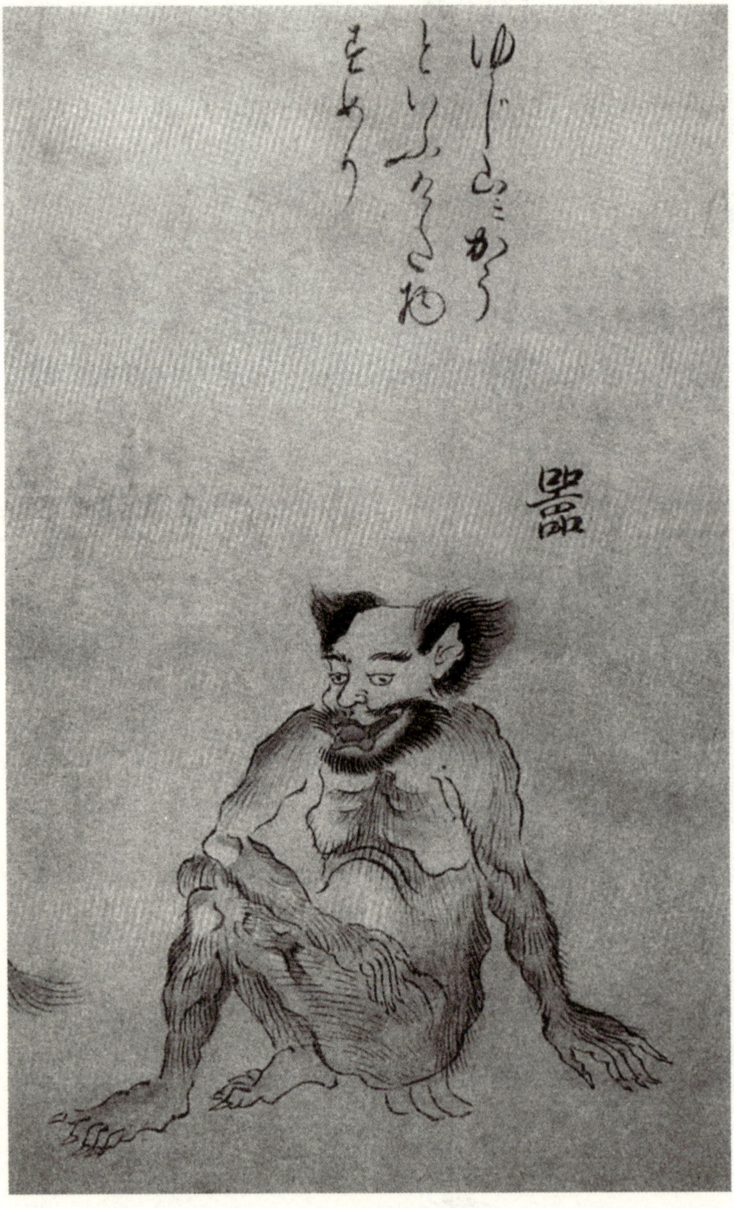

日本图本

橐𩇯

【经文】

《西山经》：羭次之山，有鸟焉，其状如枭，人面而一足，曰橐𩇯，冬见夏蛰，服之不畏雷。

明·蒋应镐绘图本

明·胡文焕图本

清·四川成或因绘图本

清・吴任臣近文堂图本

清・汪绂图本

上海锦章图本

猛豹

【经文】

《西山经》：南山，兽多猛豹。

明·蒋应镐绘图本

明 · 胡文焕图本

日本图本

清 · 四川成或因绘图本

清 · 汪绂图本

尸鸠

【经文】

《西山经》：南山，鸟多尸鸠。

清·四川成或因绘图本

明·王崇庆《山海经释义》图本

清·汪绂图本

清《禽虫典》

熊

【经文】

《西山经》：嶓冢之山，兽多熊。

清·汪绂图本

罴

【经文】

《西山经》：嶓冢之山，兽多罴。

清·汪绂图本

白翰

【经文】

《西山经》：嶓冢之山，鸟多白翰。

清·汪绂图本

谿边

【经文】

《西山经》：天帝之山，有兽焉，其状如狗，名曰谿边，席其皮者不蛊。

清·四川成或因绘图本

清·汪绂图本

清《禽虫典》

玃如

【经文】

《西山经》：皋涂之山，有兽焉，其状如鹿而白尾，马足人手而四角，名曰玃如。

明・胡文焕图本

明·蒋应镐绘图本

清·四川成或因绘图本

玃如

清·汪绂图本

清·吴任臣近文堂图本

清《禽虫典》

数斯

【经文】

《西山经》：皋涂之山，有鸟焉，其状如鸱而人足，名曰数斯，食之已瘿。

清・汪绂图本

日本图本

明·蒋应镐绘图本

清《禽虫典》

清·四川成或因绘图本

明·胡文焕图本

㸲

【经文】

《西山经》: 黄山有兽焉, 其状如牛而苍黑大目, 其名曰㸲。

清·四川成或因绘图本

明・蒋应镐绘图本

清・汪绂图本

鹦鹉

【经文】

《西山经》：黄山有鸟焉，其状如鸮，青羽赤喙，人舌能言，名曰鹦鹉。

明·蒋应镐绘图本

清《禽虫典》

旄牛

【经文】

《西山经》: 翠山, 其阴多旄牛。

明 · 蒋应镐绘图本

旄牛

清·汪绂图本

旄牛

明·胡文焕图本

旄牛圖

清《禽虫典》

麢

【经文】

《西山经》：翠山，其阴多麢。

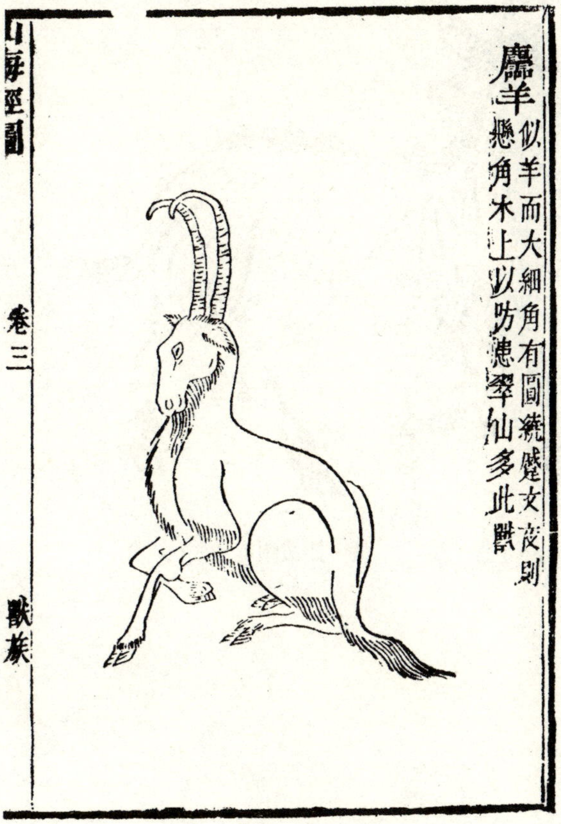

清・吴任臣康熙图本

清·汪绂图本

上海锦章图本

麢

【经文】

《西山经》：翠山，其阴多麢。

清·汪绂图本

清《禽虫典》

鸓

【经文】

《西山经》：翠山，其鸟多鸓，其状如鹊，赤黑而两首、四足，可以御火。

明·蒋应镐绘图本

清·四川成或因绘图本

鸓鳥

明·胡文焕图本

清·汪绂图本

鸓狀如鵲赤黑兩首四足
出則可以禦火出翠山

摩獸大眼有鳥
名鸓兩頭四足
翔若合飛

清·郝懿行图本

清·吴任臣近文堂图本

鸾鸟

【经文】

《西次二经》：女床之山，有鸟焉，其状如翟而五采文，名曰鸾鸟，见则天下安宁。

明·蒋应镐绘图本

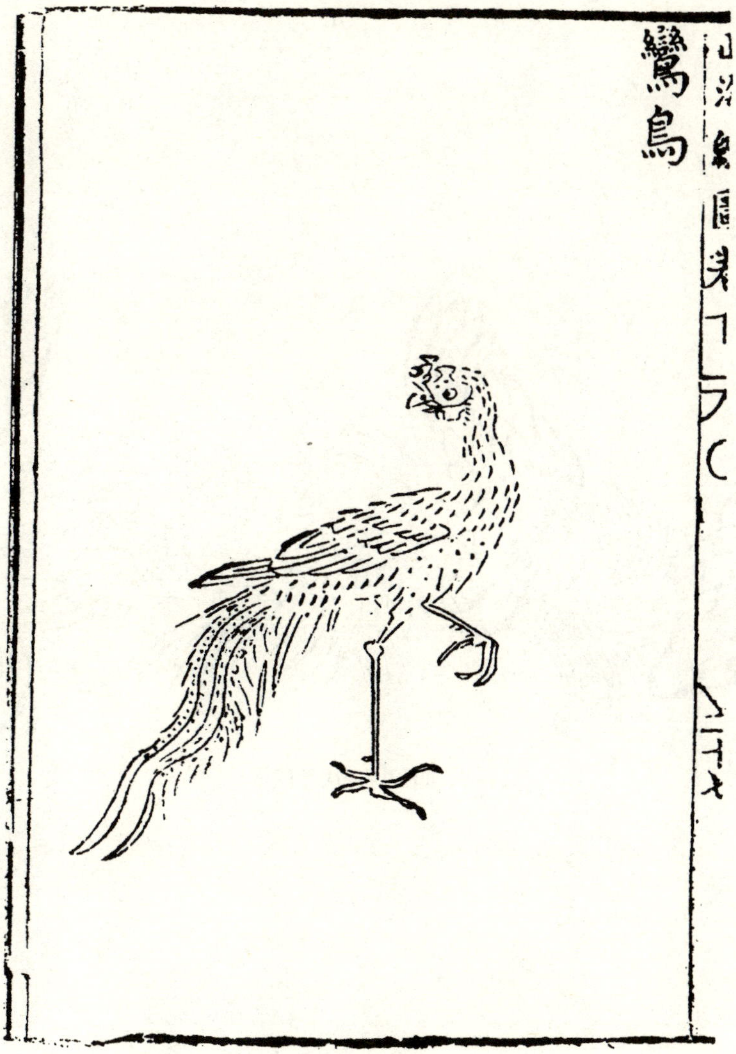

明·胡文焕图本

清·四川成或因绘图本

日本图本

清・汪绂图本

凫徯

【经文】

《西次二经》：鹿台之山，有鸟焉，其状如雄鸡而人面，名曰凫徯，其鸣自叫也，见则有兵。

明·蒋应镐绘图本

清·吴任臣近文堂图本

明·胡文焕图本

清·四川成或因绘图本

上海锦章图本

日本图本

朱厌

【经文】

《西次二经》：小次之山，有兽焉，其状如猿，而白首赤足，名曰朱厌，见则大兵。

清・四川成或因绘图本

明·蒋应镐绘图本

清·汪绂图本

清《禽虫典》

虎

【经文】

《西次二经》：厎（音旨，zhǐ）阳之山，其兽多虎。

清·汪绂图本

麋

【经文】

《西次二经》：西皇之山，其兽多麋。

清·汪绂图本

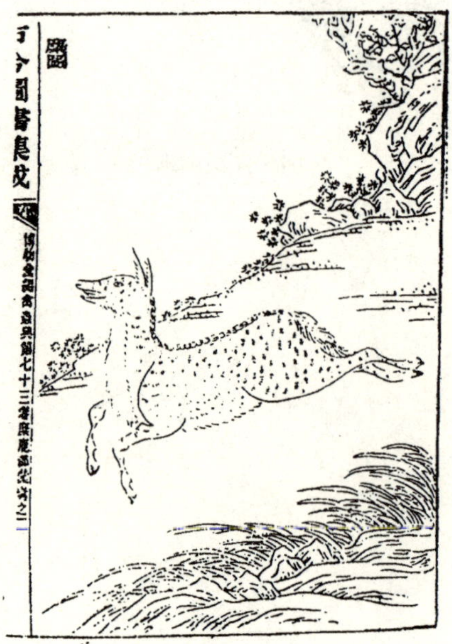

清《禽虫典》

鹿

【经文】

《西次二经》：西皇之山，其兽多鹿。

清·汪绂图本

清《禽虫典》

人面马身神

【经文】

《西次二经》：自钤山至于莱山，凡十七山，四千一百四十里。其十神者，皆人面而马身。

明·蒋应镐绘图本

清·汪绂图本

清·四川成或因绘图本

人面牛身神

【经文】

《西次二经》：自钤山至于莱山，凡十七山，四千一百四十里。其七神，皆人面牛身，四足而一臂，操杖以行：是为飞兽之神。

明·蒋应镐绘图本

清·汪绂图本

清·四川成或因绘图本

清《神异典》

举父

【经文】

《西次三经》：崇吾之山，有兽焉，其状如禺而文臂，豹虎（袁珂案：疑是尾字之误）而善投，名曰举父。

明 · 蒋应镐绘图本

清·四川成或因绘图本

上海锦章图本

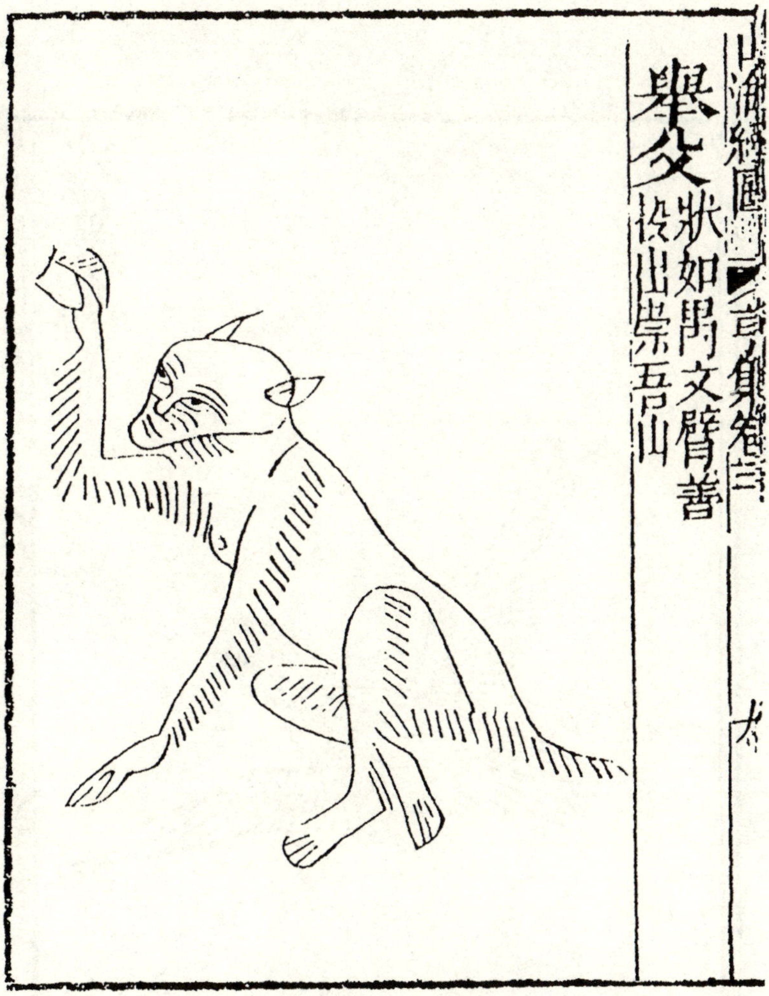

清·吴任臣近文堂图本

蛮蛮（比翼鸟）

【经文】

《西次三经》：崇吾之山，有鸟焉，其状如凫，而一翼一目，相得乃飞，名曰蛮蛮，见则天下大水。

明 · 胡文焕图本

清・毕沅图本

日本图本

清・汪绂图本

清・四川成或因绘图本

鼓（钟山神）

【经文】

《西次三经》：钟山，其子曰鼓，其状人面而龙身，是与钦䲹杀葆江于昆仑之阳，帝乃戮之钟山之东曰嶢崖，钦䲹化为大鹗，其状如雕，而黑文白首，赤喙而虎爪，其音如晨鹄，见则有大兵。鼓亦化为䳢鸟，其状如鸱，赤足而直喙，黄文而白首，其音如鹄，见则其邑大旱。

明·蒋应镐绘图本

日本图本

鍾山神

明·胡文焕图本

清《神异典》

清·吴任臣近文堂图本

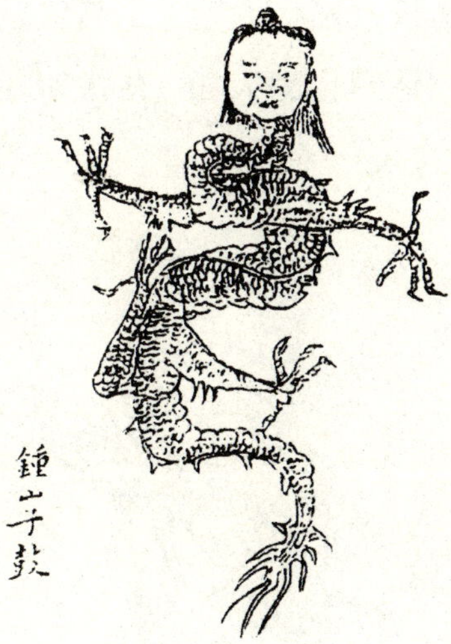

清·汪绂图本

清·四川成或因绘图本

钦䳢

【经文】

《西次三经》：钟山，其子曰鼓，其状人面而龙身，是与钦䳢杀葆江于昆仑之阳，帝乃戮之钟山之东曰䍃崖，钦䳢化为大鹗，其状如雕而黑文白首，赤喙而虎爪，其音如晨鹄，见则有大兵。

明·蒋应镐绘图本

清·四川成或因绘图本

清·汪绂图本

清《禽虫典》

鵕鸟

【经文】

《西次三经》：钟山，其子曰鼓，其状人面而龙身，是与钦䲹杀葆江于昆仑之阳，帝乃戮之钟山之东曰䍃崖，钦䲹化为大鹗，其状如雕而黑文白首，赤喙而虎爪，其音如晨鹄，见则有大兵。鼓亦化为鵕鸟，其状如鸱，赤足而直喙，黄文而白首，其音如鹄，见则其邑大旱。

清·汪绂图本

文鳐鱼

【经文】

《西次三经》：泰器之山，观水出焉，西流注于流沙，是多文鳐鱼，状如鲤鱼，鱼身而鸟翼，苍文而白首赤喙，常行西海，游于东海，以夜飞。其音如鸾鸡，其味酸甘，食之已狂，见则天下大穰。

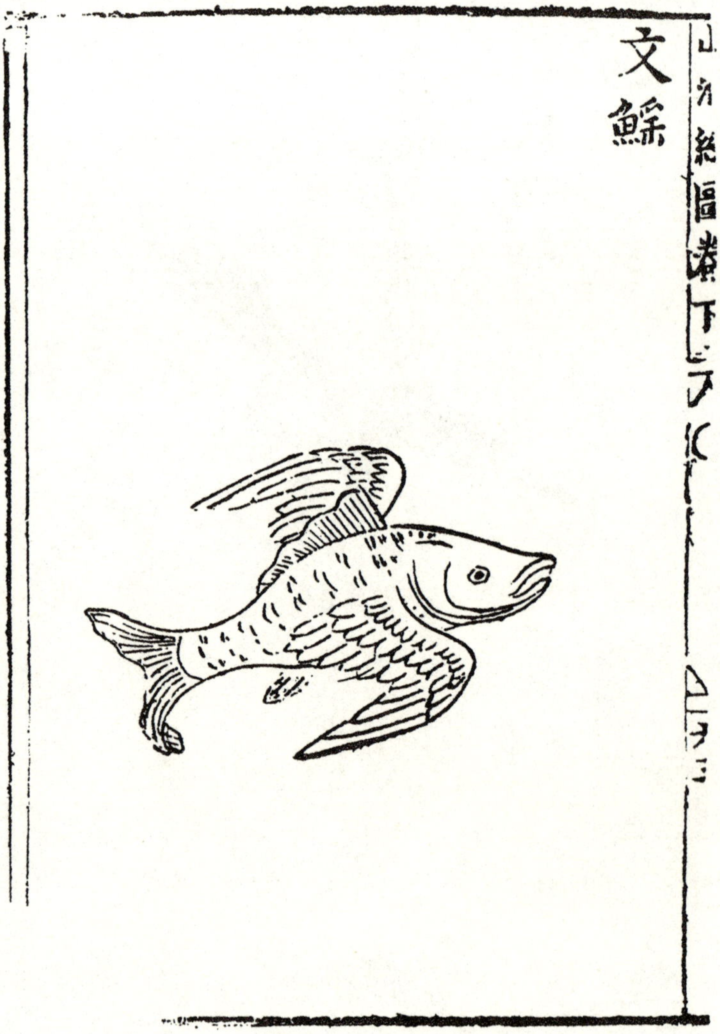

明・胡文焕图本

清・四川成或因绘图本

清・汪绂图本

明・蒋应镐绘图本

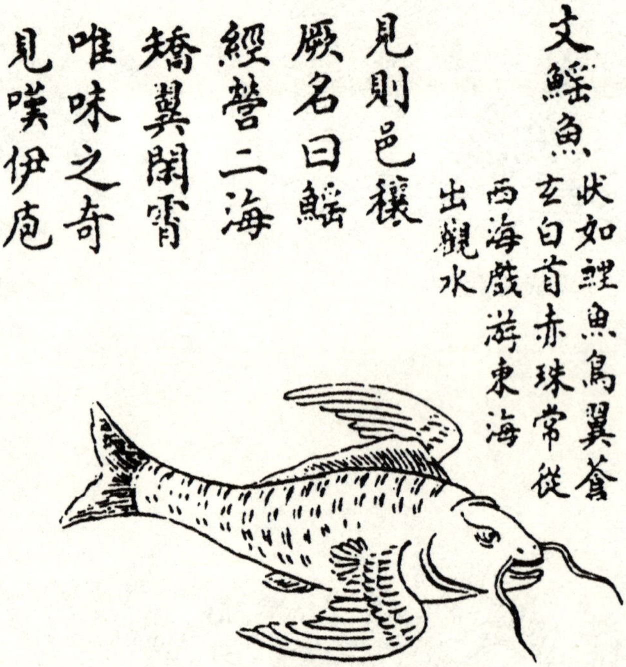
文鰩魚
狀如鯉魚鳥翼蒼
玄白首赤珠常從
西海戲游東海
出觀水
見則邑穰
厥名曰鰩
經營二海
穚翼閑霄
唯味之奇
見嘆伊庖

上海锦章图本

英招

【经文】

《西次三经》：槐江之山，实惟帝之平圃，神英招司之，其状马身而人面，虎文而鸟翼，徇于四海，其音如榴。

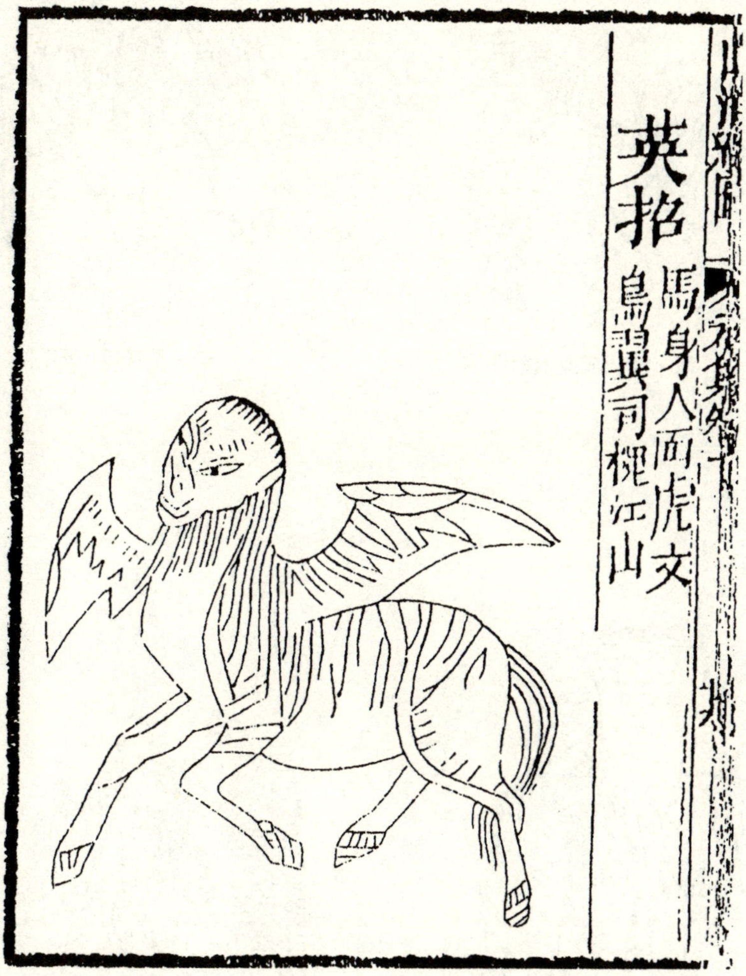

清·吴任臣近文堂图本

清・四川成或因绘图本

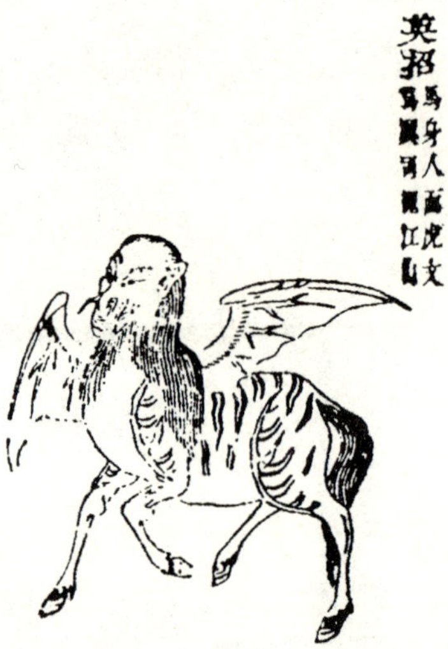

清・吴任臣康熙图本

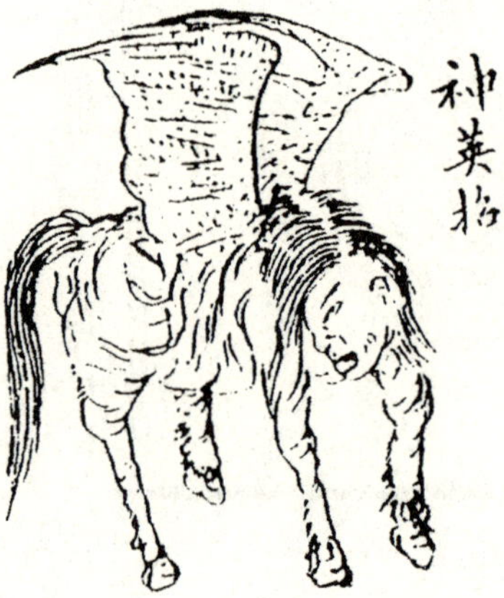

清・汪绂图本

清《神异典》

明·蒋应镐绘图本

天神

【经文】

《西次三经》：槐江之山，爰有嵹水，其清洛洛。有天神焉，其状如牛，而八足二首马尾，其音如勃皇，见则其邑有兵。

清 · 四川成或因绘图本

清·汪绂图本

明·蒋应镐绘图本

清《神异典》

陆吾

【经文】

《西次三经》：昆仑之丘，是实惟帝之下都，神陆吾司之。其神状虎身而九尾，人面而虎爪。是神也，司天之九部及帝之囿时。

明·胡文焕图本

明·蒋应镐绘图本

清·汪绂图本

清·四川成或因绘图本

清·毕沅图本

日本图本

土蝼

【经文】

《西次三经》：昆仑之丘，有兽焉，其状如羊而四角，名曰土蝼，是食人。

清《禽虫典》

明・蒋应镐绘图本

清·吴任臣近文堂图本

清·汪绂图本

明·胡文焕图本

钦原

【经文】

《西次三经》: 昆仑之丘，有鸟焉，其状如蠭（宋本作蜂），大如鸳鸯，名曰钦原，蠚（音弱，螫也）鸟兽则死，蠚木则枯。

清《禽虫典》

明·蒋应镐绘图本

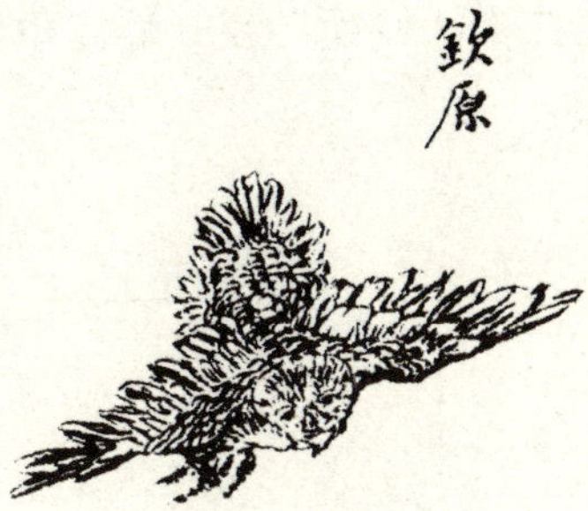

清·汪绂图本

清·四川成或因绘图本

鮹鱼

【经文】

《西次三经》：乐游之山，桃水出焉，西流注于稷泽，是多白玉。其中多鮹鱼，其状如蛇而四足，是食鱼。

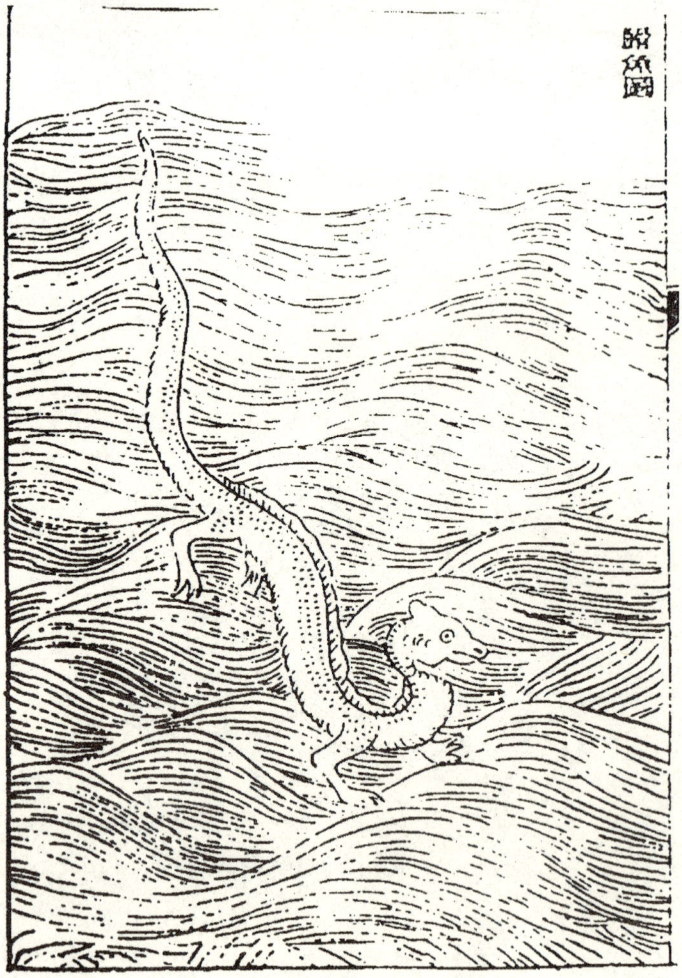

清《禽虫典》

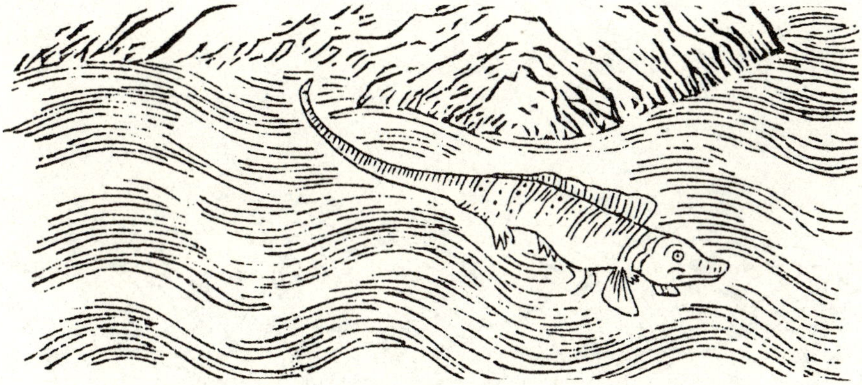

明·蒋应镐绘图本

上海锦章图本

清·汪绂图本

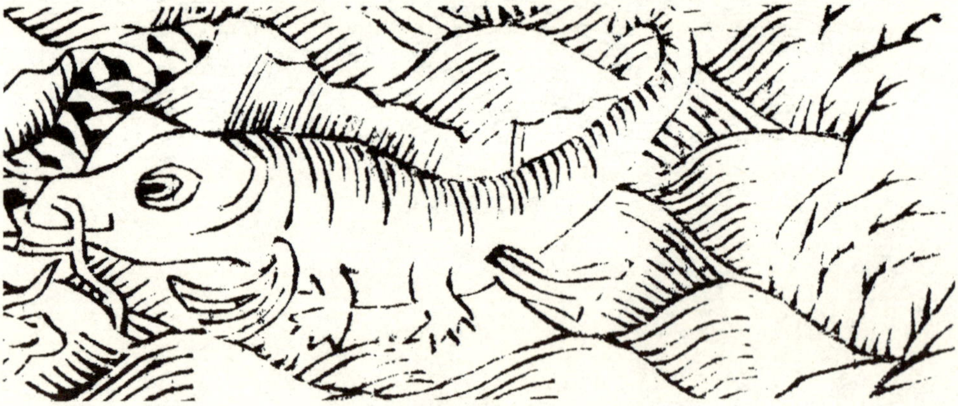

清·四川成或因绘图本

长乘

【经文】

《西次三经》：西水行四百里，流沙二百里，至于嬴母之山，神长乘司之，是天之九德也。其神状如人而犳尾。其上多玉，其下多青石而无水。

明·蒋应镐绘图本

清《神异典》

清·汪绂图本

清·四川成或因绘图本

西王母

【经文】

《西次三经》：玉山，是西王母所居也。西王母其状如人，豹尾虎齿而善啸，蓬发戴胜，是司天之厉及五残。

明 · 蒋应镐绘图本

清·汪绂图本

狡

【经文】

《西次三经》：玉山，是西王母所居也。有兽焉，其状如犬而豹文，其角如牛，其名曰狡，其音如吠犬，见则其国大穰。

明·胡文焕图本

明·蒋应镐绘图本

狡图

清·汪绂图本

清《禽虫典》

胜遇

【经文】

《西次三经》：玉山，是西王母所居也。有鸟焉，其状如翟而赤，名曰胜遇，是食鱼，其音如录，见则其国大水。

明·蒋应镐绘图本

清·四川成或因绘图本

清《禽虫典》

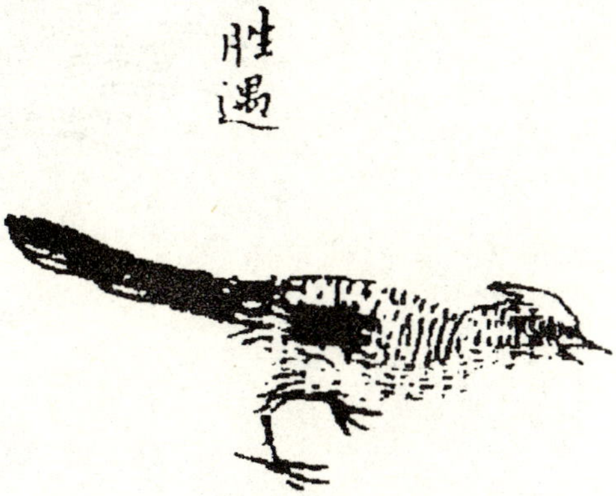

清·汪绂图本

神魄氏（少昊）

【经文】

《西次三经》：长留之山，其神白帝少昊居之。其兽皆文尾，其鸟皆文首，是多文玉石。实惟员神魄氏之宫。是神也，主司反景。

清·汪绂图本

狰

【经文】

《西次三经》：章莪之山，无草木，多瑶碧。所为甚怪。有兽焉，其状如赤豹，五尾一角，其音如击石，其名曰狰。

明·蒋应镐绘图本

清《禽虫典》

上海锦章图本

狰

明·胡文焕图本

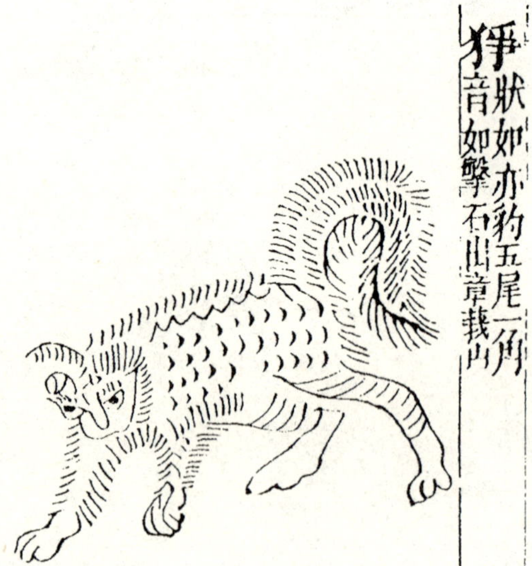

清·吴任臣近文堂图本

清·四川成或因绘图本

狰

清·汪绂图本

日本图本

毕方

【经文】

《西次三经》：章莪之山，有鸟焉，其状如鹤，一足，赤文青质而白喙，名曰毕方，其鸣自叫也，见则其邑有讹火。

明 · 蒋应镐绘图本

清 · 四川成或因绘图本

明 · 胡文焕图本

清 · 汪绂图本

日本图本

清《禽虫典》本《海外南经》图

天狗

【经文】

《西次三经》：阴山，有兽焉，其状如狸而白首，名曰天狗，其音如榴榴，可以御凶。

明·胡文焕图本

上海锦章图本

清・四川成或因绘图本

明・蒋应镐绘图本

清・吴任臣近文堂图本

日本图本

江疑

【经文】

《西次三经》：符惕之山，其上多棕枏，下多金玉，神江疑居之。是山也，多怪雨，风云之所出也。

清·汪绂图本

三青鸟

【经文】

《西次三经》：三危之山，三青鸟居之。是山也，广员百里。

明 · 蒋应镐绘图本

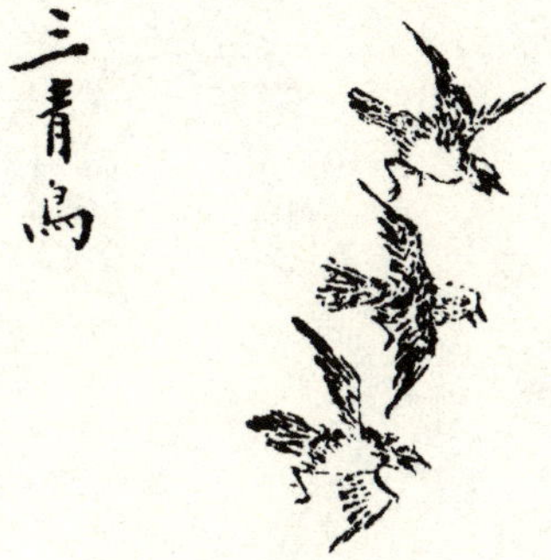

清 · 汪绂图本

徼狪

【经文】

《西次三经》：三危之山，其上有兽焉，其状如牛，白身四角，其豪如披蓑，其名曰徼狪，是食人。

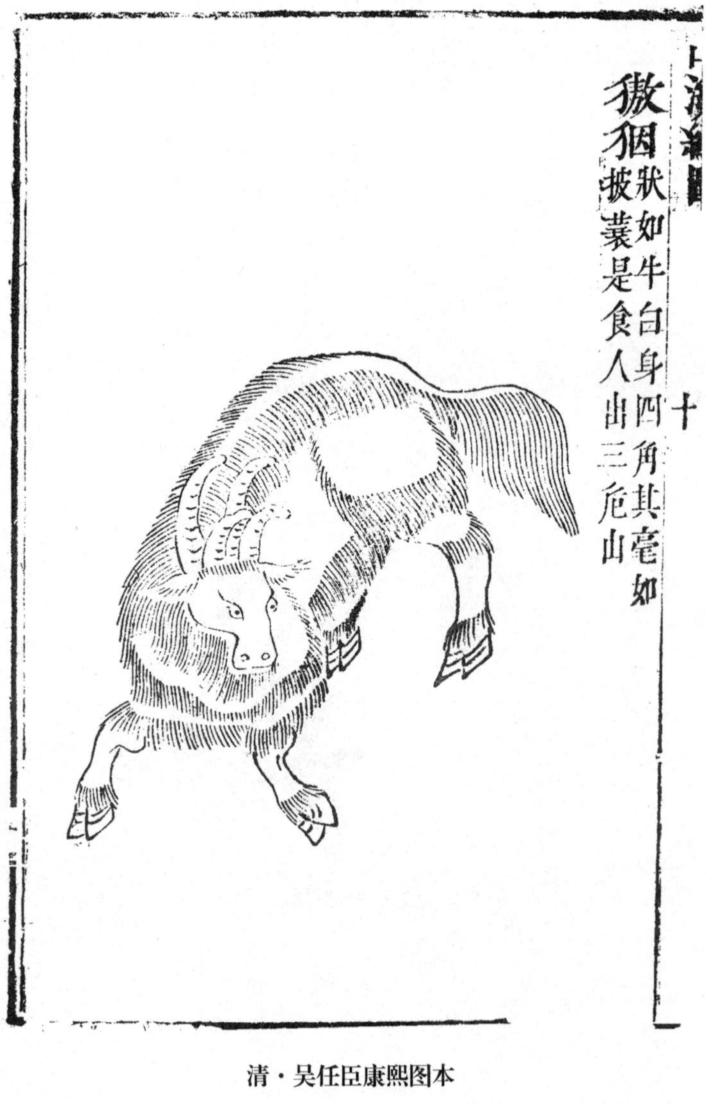

清·吴任臣康熙图本

明・蒋应镐绘图本

清・汪绂图本

清《禽虫典》

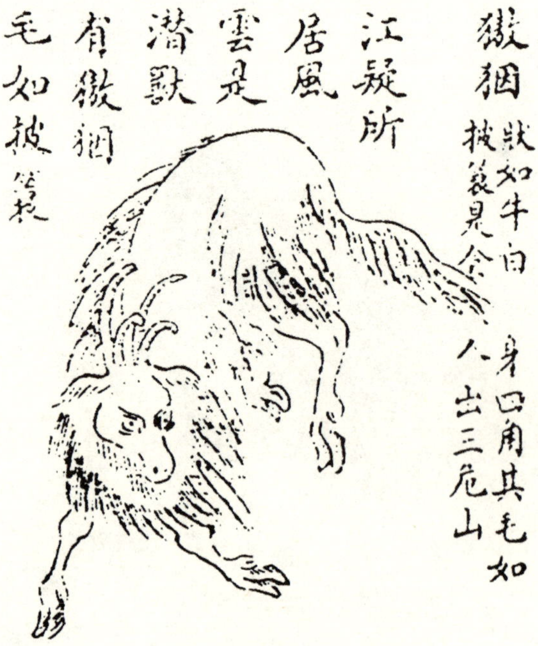

上海锦章图本

鸱

【经文】

《西次三经》: 三危之山，有鸟焉，一首而三身，其状如鸈，其名曰鸱。

明 · 胡文焕图本

明·蒋应镐绘图本

清·四川成或因绘图本

清《禽虫典》

清·汪绂图本

清·毕沅图本

日本图本

耆童

【经文】

《西次三经》：騩山，其上多玉而无石。神耆童居之，其音常如钟磬。其下多积蛇。

清·汪绂图本

帝江

【经文】

《西次三经》：天山，有神焉，其状如黄囊，赤如丹火，六足四翼，浑敦无面目，是识歌舞，实为帝江也。

明·胡文焕图本

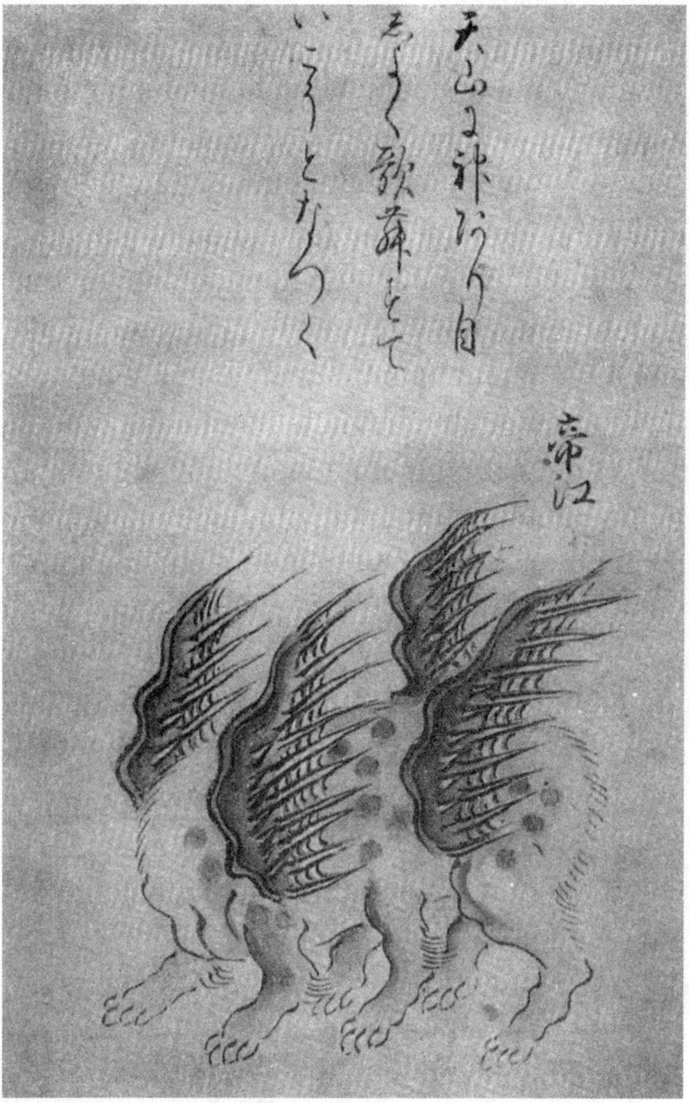

日本图本

清·汪绂图本

清《神异典》

明·蒋应镐绘图本

清・四川成或因绘图本

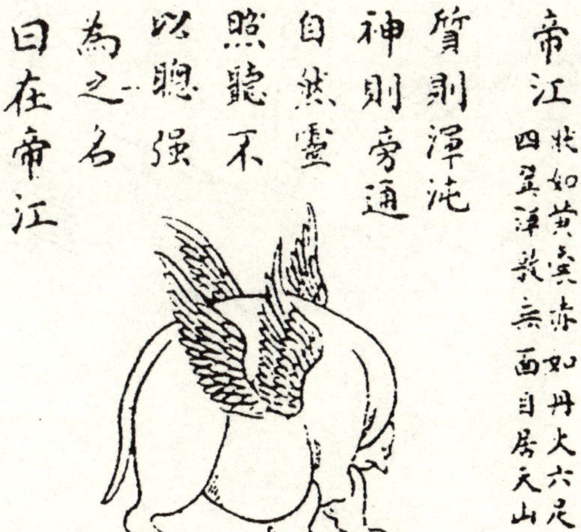

上海锦章图本

蓐收（红光）

【经文】

《西次三经》：泑山，神蓐收居之。是山也，西望日之所入，其气员，神红光之所司也。

明·蒋应镐绘图本

清·四川成或因绘图本

清·汪绂图本

讙

【经文】

《西次三经》: 翼望之山, 有兽焉, 其状如狸, 一目而三尾, 名曰讙, 其音如夺百声, 是可以御凶, 服之已瘅(音旦, dàn)。

明 · 蒋应镐绘图本

清《禽虫典》

清 · 汪绂图本

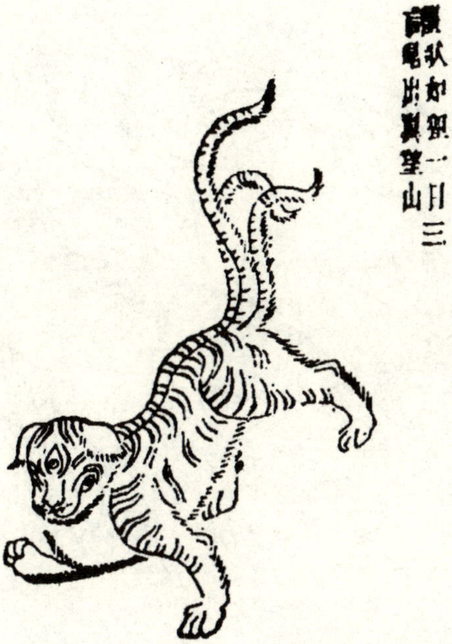

清 · 吴任臣康熙图本

上海锦章图本

清・四川成或因绘图本

明・胡文焕图本

日本图本

鵸鵌

【经文】

《西次三经》：翼望之山，有鸟焉，其状如乌，三首六尾而善笑，名曰鵸鵌，服之使人不厌，又可以御凶。

明 · 胡文焕图本

明·蒋应镐绘图本

清·吴任臣近文堂图本

上海锦章图本

清·四川成或因绘图本

日本图本

羊身人面神

【经文】

《西次三经》：自崇吾之山至于翼望之山，凡二十三山，六千七百四十四里，其神状皆羊身人面。

明 · 蒋应镐绘图本

清《神异典》

清·汪绂图本

清·四川成或因绘图本

白鹿

【经文】

《西次四经》：上申之山，兽多白鹿。

清·汪绂图本

当扈

【经文】

《西次四经》：上申之山，其鸟多当扈，其状如雉，以其髯飞，食之不眴（同瞬）目。

明·胡文焕图本

清·四川成或因绘图本

明·蒋应镐绘图本

清《禽虫典》

清·汪绂图本

白狼

【经文】

《西次四经》：盂山，其兽多白狼。

清·汪绂图本

白虎

【经文】

《西次四经》：盂山，其兽多白虎。

清·汪绂图本

神魈

【经文】

《西次四经》：刚山，是多神魈，其状人面兽身，一足一手，其音如钦（吟）。

清 · 四川成或因绘图本

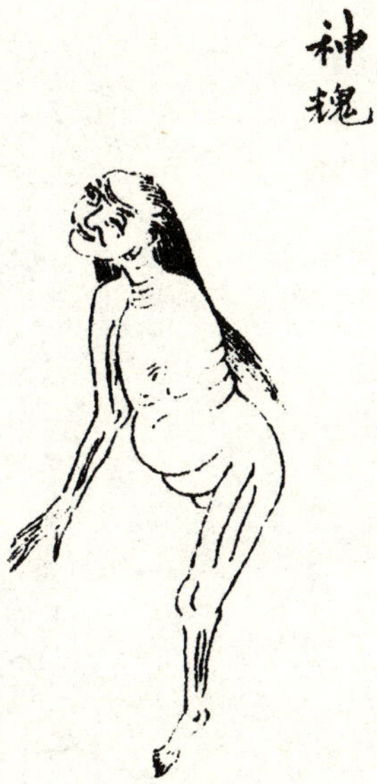

清 · 汪绂图本

上海锦章图本

明·蒋应镐绘图本

清《神异典》

明·胡文焕图本

日本图本

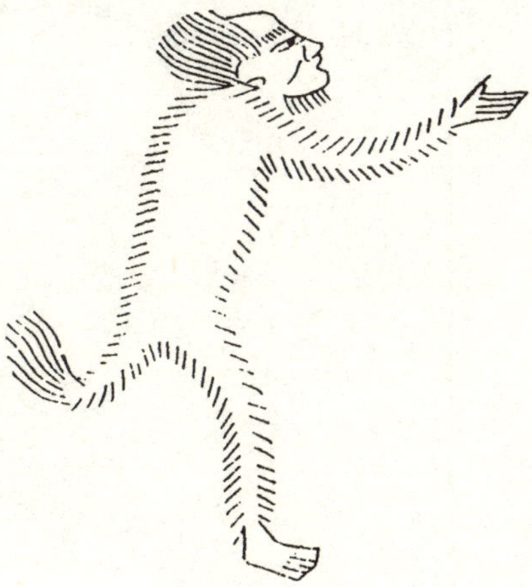
清·吴任臣近文堂图本

蛮蛮（兽）

【经文】

《西次四经》：刚山之尾，洛水出焉，而北流注于河。其中多蛮蛮，其状鼠身而鳖首，其音如吠犬。

明·胡文焕图本

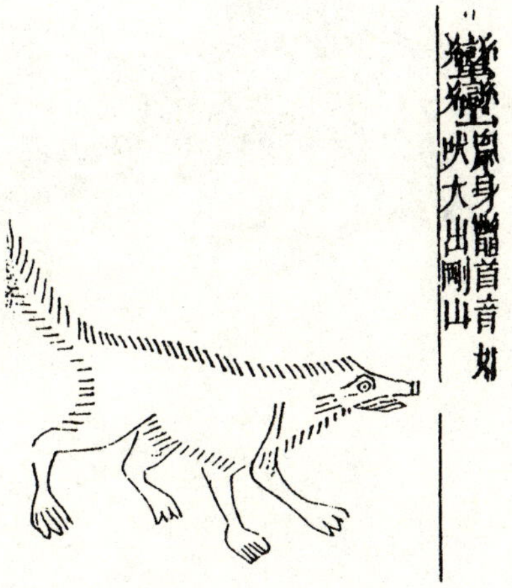

清・吴任臣近文堂图本

明・蒋应镐绘图本

清・汪绂图本

清・四川成或因绘图本

清《禽虫典》

冉遗鱼

【经文】

《西次四经》：英鞮之山，涴水出焉，而北流注于陵羊之泽。是多冉遗之鱼，鱼身蛇首六足，其目如马耳，食之使人不眯，可以御凶。

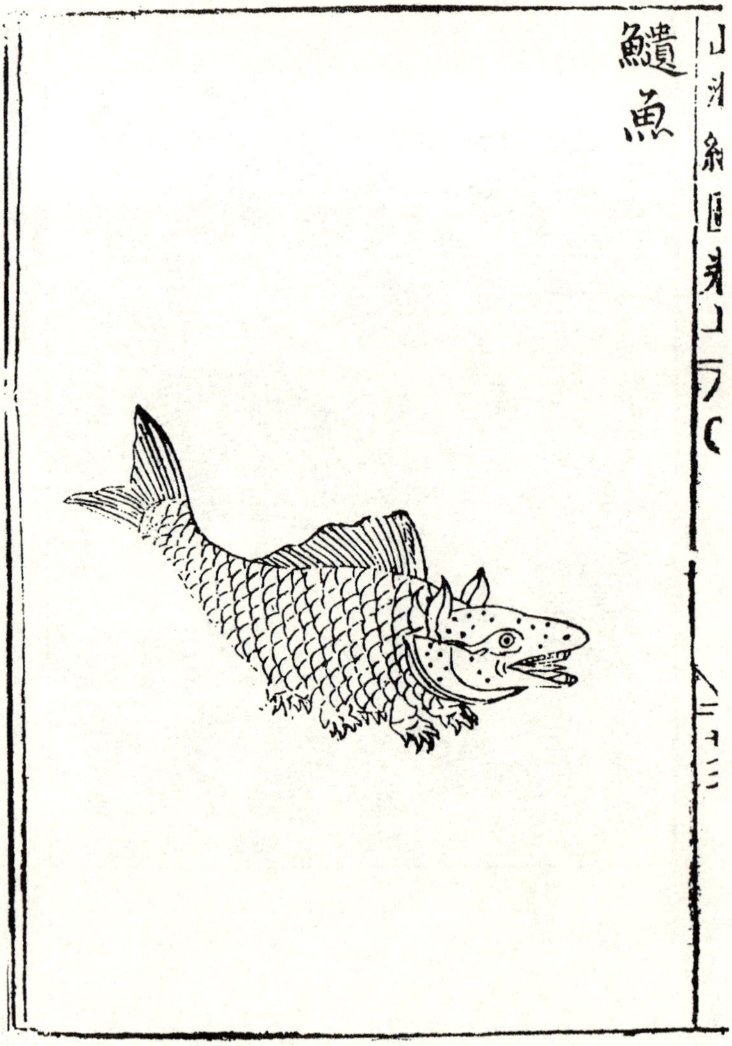

明·胡文焕图本

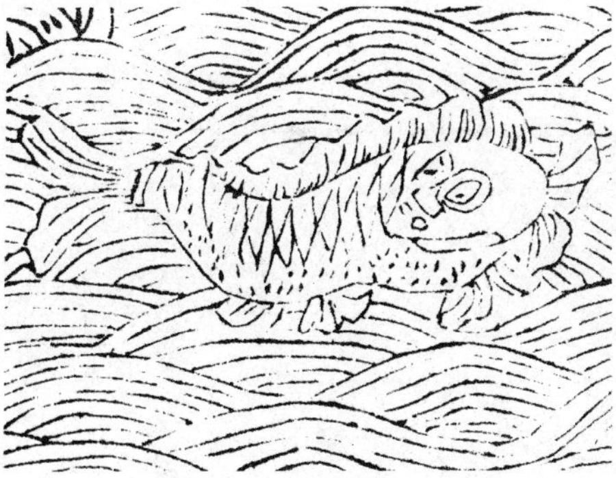

清·四川成或因绘图本

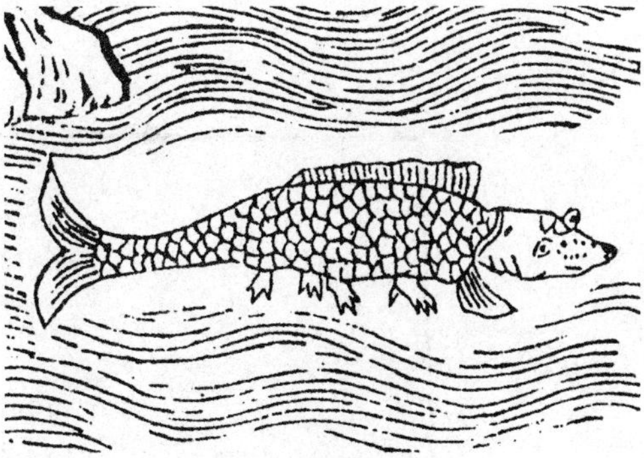

明·蒋应镐绘图本

上海锦章图本

清·汪绂图本

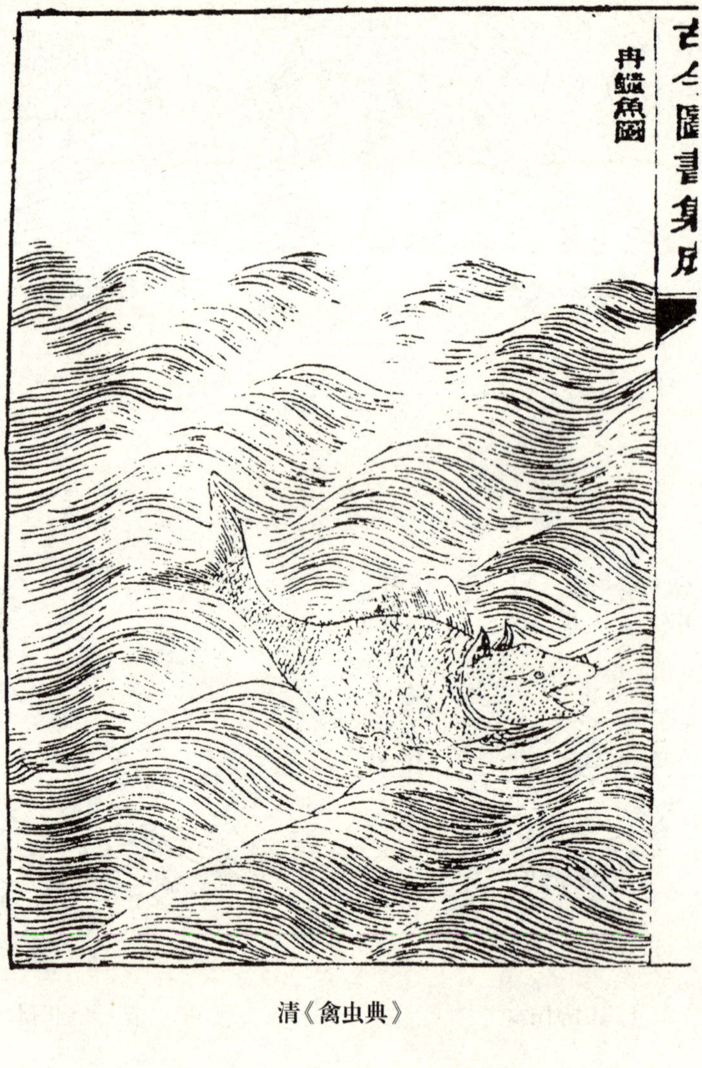

清《禽虫典》

驳

【经文】

《西次四经》：中曲之山，有兽焉，其状如马，而白身黑尾，一角，虎牙爪，音如鼓，其名曰驳，是食虎豹，可以御兵。

明·蒋应镐绘图本

明·胡文焕图本

明·蒋应镐绘图本

清・汪绂图本

清・四川成或因绘图本

日本图本

穷奇

【经文】

《西次四经》：邽（音圭）山，其上有兽焉，其状如牛，猬毛，名曰穷奇，音如嗥狗，是食人。

明·胡文焕图本

明・蒋应镐绘图本

清・四川成或因绘图本

清·汪绂图本

清《禽虫典》

日本图本

蠃鱼

【经文】

《西次四经》：邽山，濛水出焉，南流注于洋水，其中多蠃鱼，鱼身而鸟翼，音如鸳鸯，见则其邑大水。

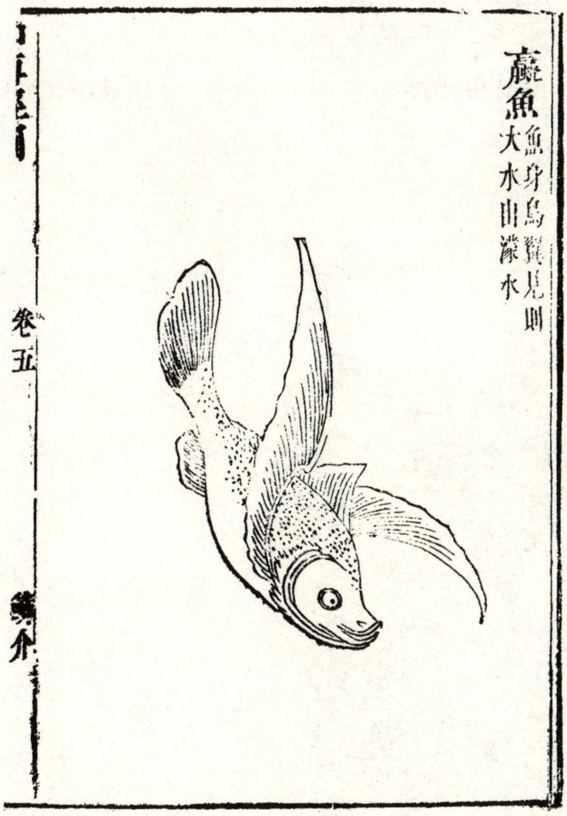

清·吴任臣康熙图本

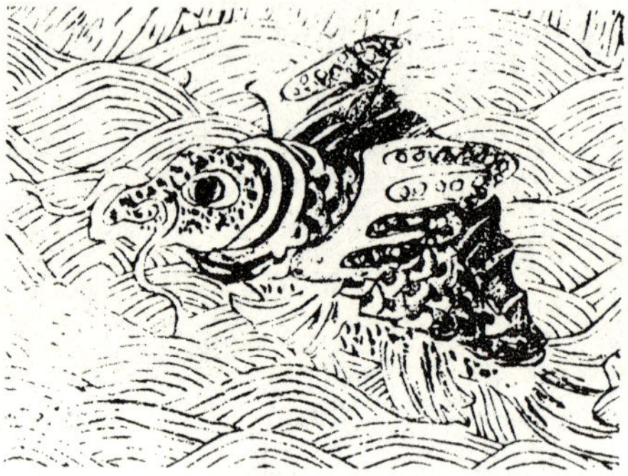

清·四川成或因绘图本

清·汪绂图本

清《禽虫典》

鸟鼠同穴

【经文】

《西次四经》：鸟鼠同穴之山，其上多白虎、白玉。

明·胡文焕图本

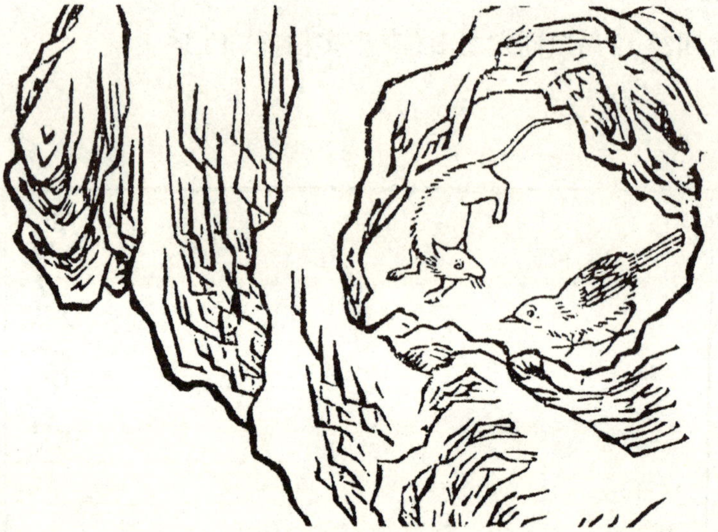

明·蒋应镐绘图本

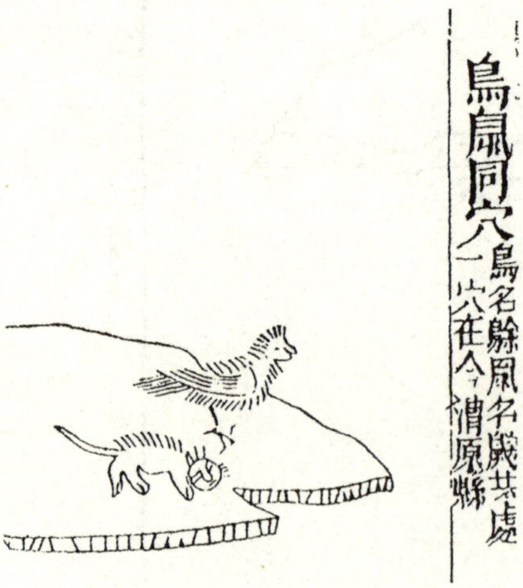

清·吴任臣近文堂图本

清·四川成或因绘图本

鳋鱼

【经文】

《西次四经》：鸟鼠同穴之山，渭水出焉，而东流注于河。其中多鳋鱼，其状如鳣鱼，动则其邑有大兵。

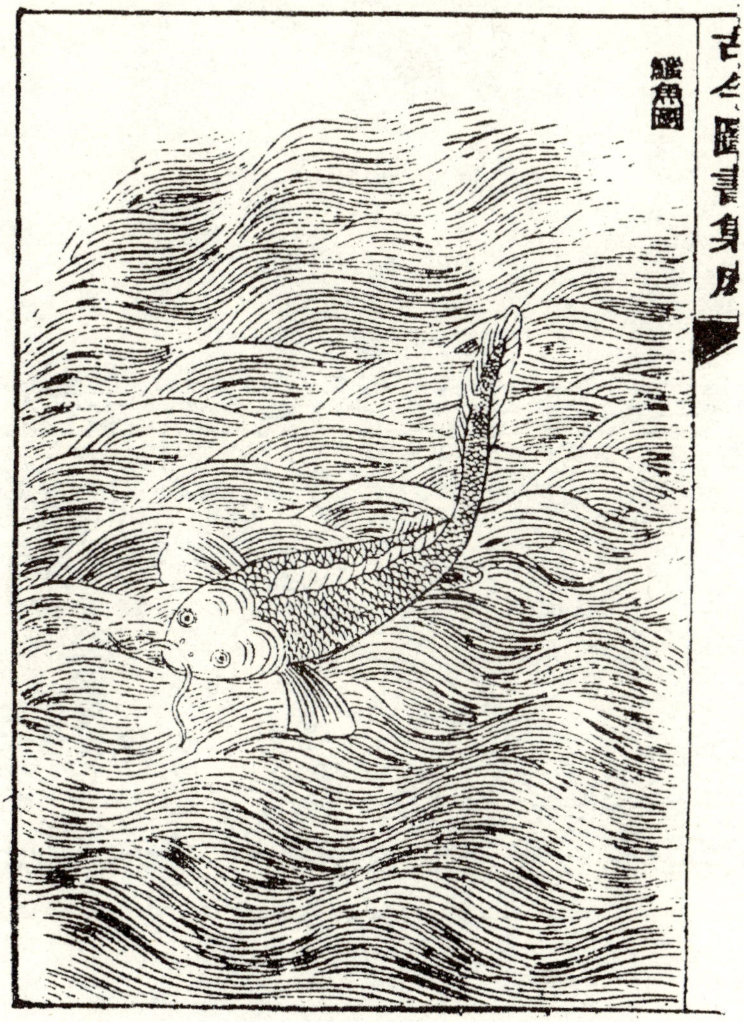

清《禽虫典》

清·汪绂图本

清·四川成或因绘图本

明·蒋应镐绘图本

䰻魮鱼

【经文】

《西次四经》：鸟鼠同穴之山，滥水出于其西，西流注于汉水。多䰻魮之鱼，其状如覆铫，鸟首而鱼翼鱼尾，音如磬石之声，是生珠玉。

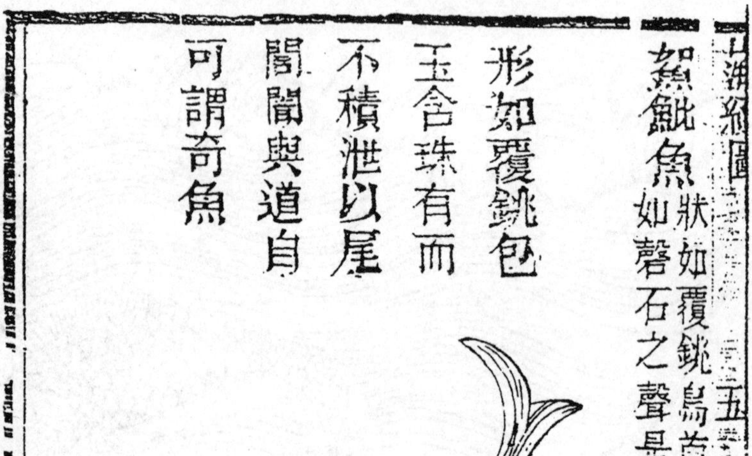

清・毕沅图本

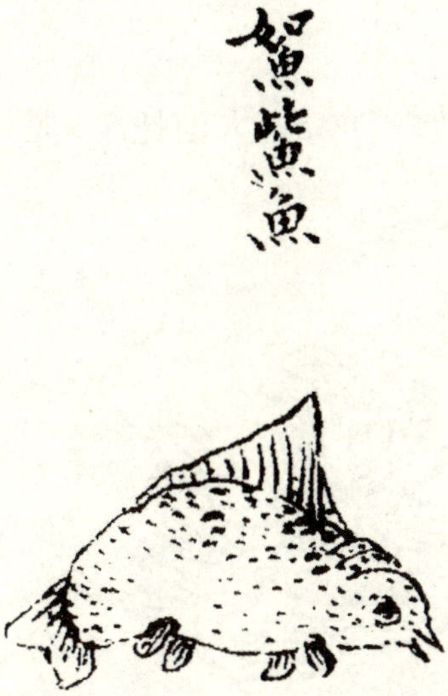

清·汪绂图本

明·蒋应镐绘图本

清《禽虫典》

上海锦章图本

孰湖

【经文】

《西次四经》：崦嵫之山，有兽焉，其状马身而鸟翼，人面蛇尾，是好举人，名曰孰湖。

明·蒋应镐绘图本

清·四川成或因绘图本

孰湖圖

清《禽虫典》

孰湖

清·汪绂图本

人面鸮

【经文】

《西次四经》：崦嵫之山，有鸟焉，其状如鸮而人面，蜼（音未，wèi）身犬尾，其名自号也，见则其邑大旱。

明·蒋应镐绘图本

清·四川成或因绘图本

清·汪绂图本

清·吴任臣近文堂图本

明·胡文焕图本

上海锦章图本

第三卷　北山经

滑鱼

【经文】

《北山经》：求如之山，滑水出焉，而西流注于诸毗之水。其中多滑鱼，其状如鳝（音善，shàn），赤背，其音如梧，食之已疣。

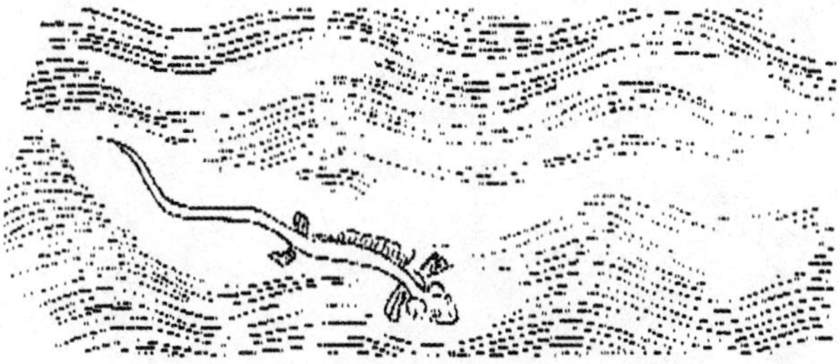

明·蒋应镐绘图本

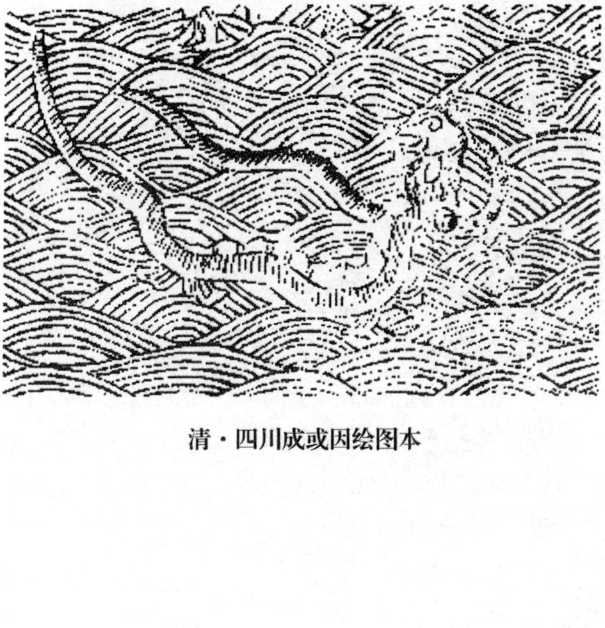

清·四川成或因绘图本

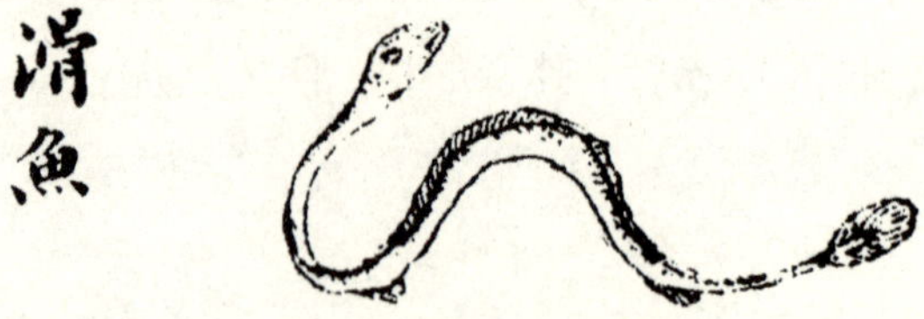

清·汪绂图本

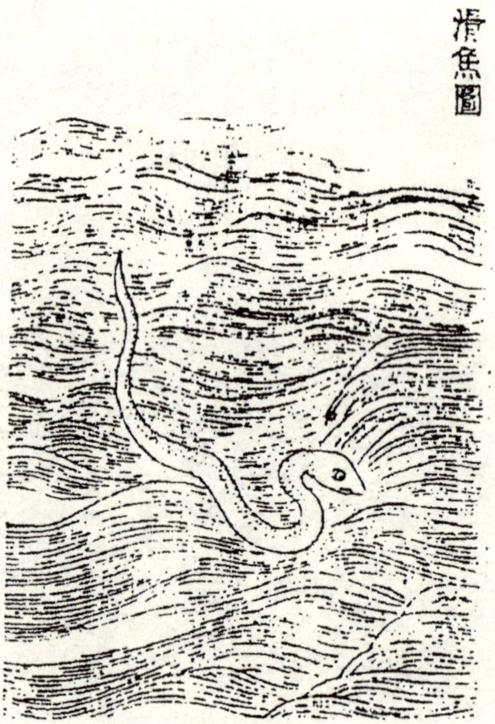

清《禽虫典》

水马

【经文】

《北山经：》：求如之山，其中多水马，其状如马，文臂牛尾，其音如呼。

明·胡文焕图本

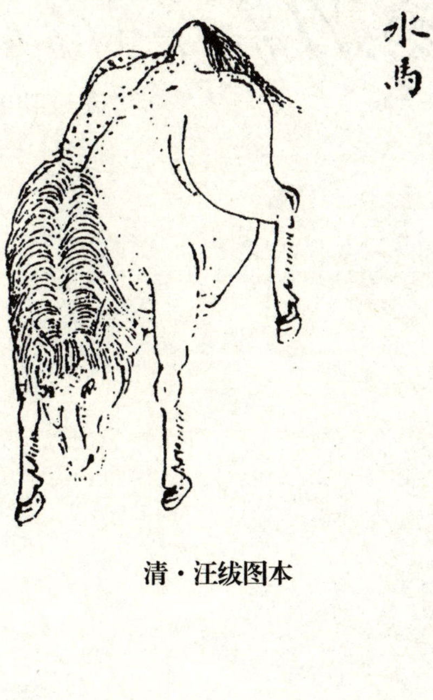

清·汪绂图本

䑏疏

【经文】

《北山经》：带山，有兽焉，其状如马，一角有错，其名曰䑏疏，可以辟火。

清·四川成或因绘图本

明·蒋应镐绘图本

明·胡文焕图本

清·毕沅图本

上海锦章图本

清·汪绂图本

䳜鵸

【经文】

《北山经》：带山，有鸟焉，其状如乌，五采而赤文，名曰䳜鵸，是自为牝牡，食之不疽。

明·蒋应镐绘图本

清·四川成或因绘图本

清·汪绂图本

山海經　北山經
帶山有鳥焉其狀如烏五采而赤文名曰鵸鵌是自爲牝牡食之不疽　郭曰上已有此鳥疑同名
任臣按學海作鵸鵌廣韻注云有名鵸鵌能自爲牝牡疑卽此鳥也爾雅翼曰山海經類有二種
獸之出亶爰山者如狸而有髮其名曰[illegible]類帶山之烏如烏而五采文其名曰奇類

清《禽虫典》

儵鱼

【经文】

《北山经》：带山，彭水出焉，而西流注于芘湖之水，其中多儵鱼，其状如鸡而赤毛，三尾、六足、四目，其音如鹊，食之可以已忧。

明·蒋应镐绘图本

清·四川成或因绘图本

明·胡文焕图本

清《禽虫典》

清・吴任臣康熙图本

清・汪绂图本

清・吴任臣近文堂图本

何罗鱼

【经文】

《北山经》：谯明之山，谯水出焉，西流注于河。其中多何罗之鱼，一首而十身，其音如吠犬，食之已痈。

明·蒋应镐绘图本

清・四川成或因绘图本

明・胡文焕图本

清・郝懿行图本

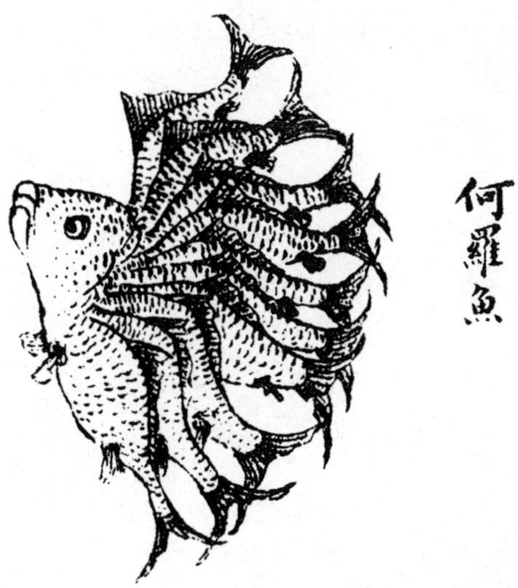

清・汪绂图本

孟槐

【经文】

《北山经》：谯明之山，有兽焉，其状如貆（音桓，huán）而赤毫，其音如榴榴，名曰孟槐，可以御凶。

明 · 蒋应镐绘图本

清 · 汪绂图本

清《禽虫典》

猛槐

明·胡文焕图本

日本图本

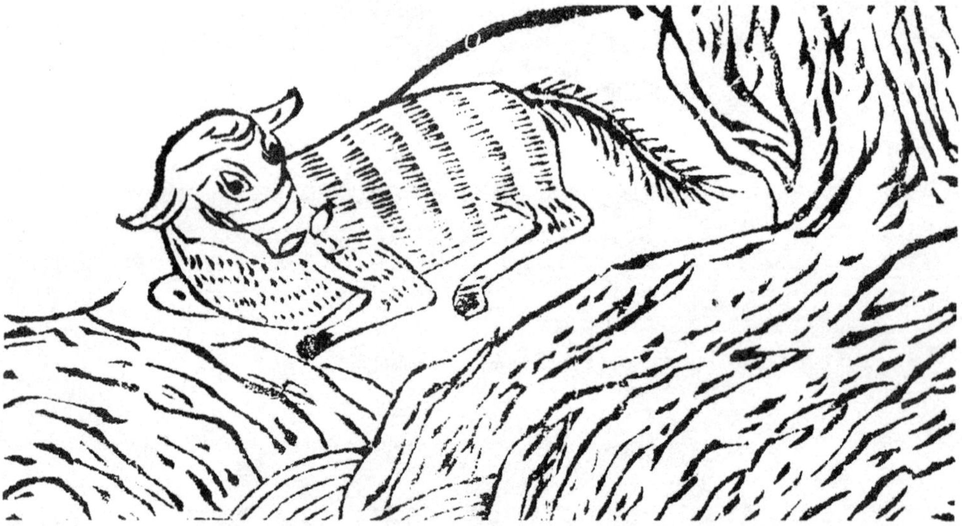

清·四川成或因绘图本

鳛鳛鱼

【经文】

《北山经》：涿光之山，嚣水出焉，而西流注于河。其中多鳛鳛之鱼，其状如鹊而十翼，鳞皆在羽端，其音如鹊，可以御火，食之不瘅。

明·胡文焕图本

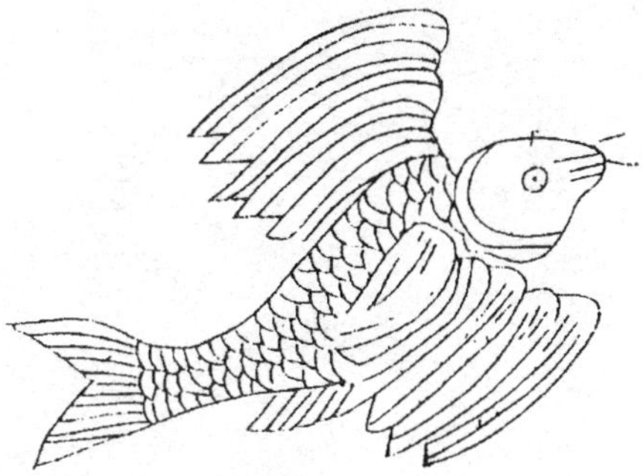

清·吴任臣近文堂图本

清·四川成或因绘图本

清《禽虫典》

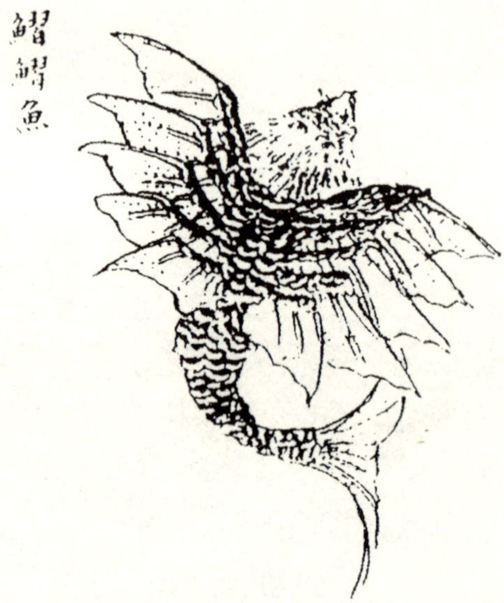

清・汪绂图本

明・蒋应镐绘图本

橐驼

【经文】

《北山经》：虢（音郭，guō）山，其兽多橐驼。

清·汪绂图本

明 · 蒋应镐绘图本

寓（鸟）

【经文】

《北山经》：虢山，其鸟多寓，状如鼠而鸟翼，其音如羊，可以御兵。

清 · 吴任臣康熙图本

清 · 吴任臣近文堂图本

第三册　第三卷　北山经

明・蒋应镐绘图本

清・四川成或因绘图本

清 · 汪绂图本

上海锦章图本

耳鼠

【经文】

《北山经》：丹熏之山，有兽焉，其状如鼠，而菟（兔）首麋身，其音如嗥（音豪，háo）犬，以其尾飞，名曰耳鼠，食之不脎（音采，cǎi）又可以御百毒。

清·四川成或因绘图本

明·胡文焕图本

明·蒋应镐绘图本

清《禽虫典》

孟极

【经文】

《北山经》：石者之山，有兽焉，其状如豹，而文题白身，名曰孟极，是善伏，其鸣自呼。

清《禽虫典》

清 · 汪绂图本

清 · 四川成或因绘图本

明·蒋应镐绘图本

幽颈

【经文】

《北山经》：边春之山，有兽焉，其状如禺而文身，善笑，见人则卧，名曰幽颈，其鸣自呼。

明 · 胡文焕图本

清《禽虫典》

明 · 蒋应镐绘图本

清 · 四川成或因绘图本

足訾

【经文】

《北山经》：蔓联之山，其上无草木。有兽焉，其状如禺而有鬣，牛尾、文臂、马蹄，见人则呼，名曰足訾，其鸣自呼。

明 · 蒋应镐绘图本

清《禽虫典》

清·四川成或因绘图本

足訾

清·汪绂图本

䴔

【经文】

《北山经》：蔓联之山，有鸟焉，群居而朋飞，其毛如雌雉，名曰䴔，其鸣自呼，食之已风。

清《禽虫典》

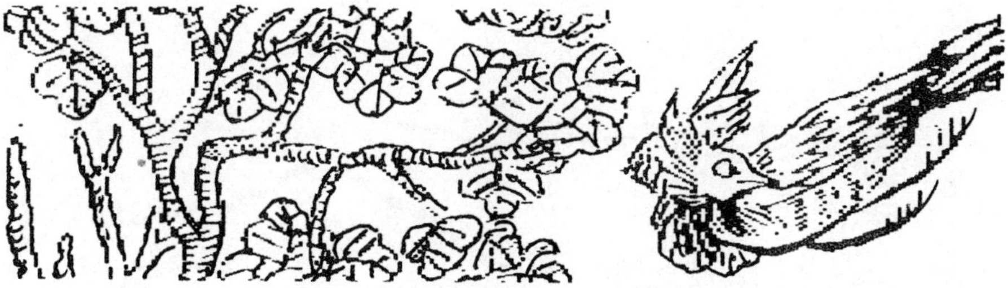

清·四川成或因绘图本

明·蒋应镐绘图本

诸犍

【经文】

《北山经》: 单张之山，其上无草木。有兽焉，其状如豹而长尾，人首而牛耳，一目，名曰诸犍，善咤，行则衔其尾，居则蟠其尾。

明 · 蒋应镐绘图本

清 · 四川成或因绘图本

明 · 胡文焕图本

清·吴任臣近文堂图本

諸犍圖

清《禽虫典》

清·汪绂图本

上海锦章图本

白䳒

【经文】

《北山经》：单张之山，有鸟焉，其状如雉，而文首，白翼、黄足，名曰白䳒，食之已嗌痛，可以已痸。

明·蒋应镐绘图本

清·四川成或因绘图本

白䳜

明・胡文焕图本

清・汪绂图本

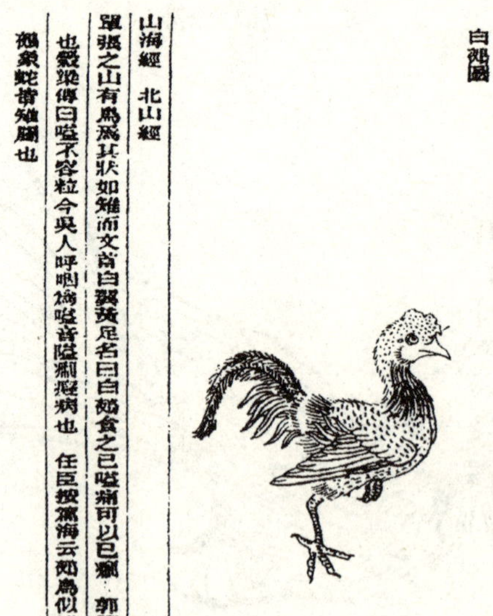
白䳜圖

山海經　北山經

單張之山有鳥焉其狀如雉而文首白翼黃足名曰白䳜食之已嗌痛可以已癡　郭曰音夜嗌咽也穀梁傳曰嗌不容粒今吳人呼咽爲嗌音隘癡癡病也　任臣按寰海云䳜鳥似雉酈雅曰白䳜象蛇皆雉屬也

清《禽虫典》

那父

【经文】

《北山经》：灌题之山，有兽焉，其状如牛而白尾，其音如訆（音叫，jiào），名曰那父。

清《禽虫典》

清·四川成或因绘图本

明·蒋应镐绘图本

竦斯

【经文】

《北山经》：灌题之山，有鸟焉，其状如雌雉而人面，见人则跃，名曰竦斯，其鸣自呼也。

清·四川成或因绘图本

明·胡文焕图本

清·吴任臣康熙图本

上海锦章图本

清·汪绂图本

明·蒋应镐绘图本

长蛇

【经文】

《北山经》：大咸之山，无草木，其下多玉。是山也，四方，不可以上。有蛇名曰长蛇，其毛如彘豪，其音如鼓柝。

明·蒋应镐绘图本

明·胡文焕图本

清·吴任臣近文堂图本

清·汪绂图本

清《禽虫典》

清·四川成或因绘图本

上海锦章图本

赤鲑

【经文】

《北山经》：敦薨（音轰，hōng）之山，敦薨之水出焉，而西流注于泑泽。其中多赤鲑。

清·汪绂图本

清《禽虫典》

窫窳

【经文】

《北山经》：少咸之山，无草木，多青碧。有兽焉，其状如牛，而赤身、人面、马足，名曰窫窳，其音如婴儿，是食人。

明·蒋应镐绘图本

清·四川成或因绘图本

湖北随县曾候乙战国墓出土衣箱上的漆画

清·汪绂图本

清《禽虫典》

第三册　第三卷　北山经

鱌鱼

【经文】

《北山经》：狱法之山，瀤（音怀，huái）泽之水出焉，而东北流注于泰泽。其中多鱌鱼，其状如鲤而鸡足，食之已疣。

明·蒋应镐绘图本

清·汪绂图本

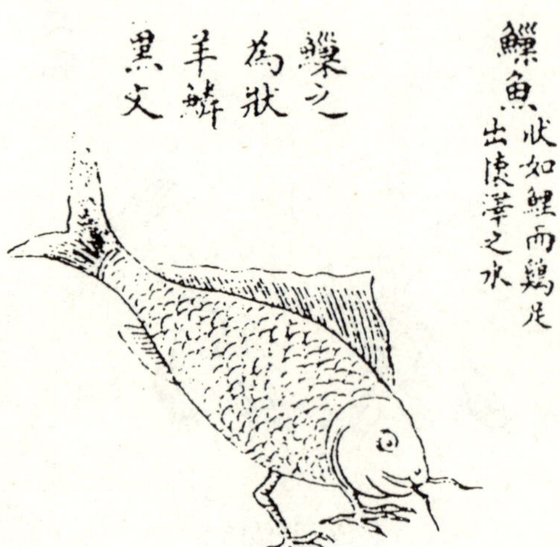

上海锦章图本

清·吴任臣康熙图本

清·吴任臣近文堂图本

清·四川成或因绘图本

山狎

【经文】

《北山经》：狱法之山，有兽焉，其状如犬而人面，善投，见人则笑，其名山狎，其行如风，见则天下大风。

明 · 蒋应镐绘图本

上海锦章图本

清・毕沅图本

清・汪绂图本

明·胡文焕图本

清·四川成或因绘图本

诸怀

【经文】

《北山经》：北岳之山，有兽焉，其状如牛，而四角、人目、彘耳，其名曰诸怀，其音如鸣雁，是食人。

明·蒋应镐绘图本

清·汪绂图本

清·吴任臣近文堂图本

清《禽虫典》

清·四川成或因绘图本

鮨鱼

【经文】

《北山经》：北岳之山，诸怀之水出焉，而西流注于嚣水，其中多鮨鱼，鱼身而犬首，其音如婴儿，食之已狂。

明 · 蒋应镐绘图本

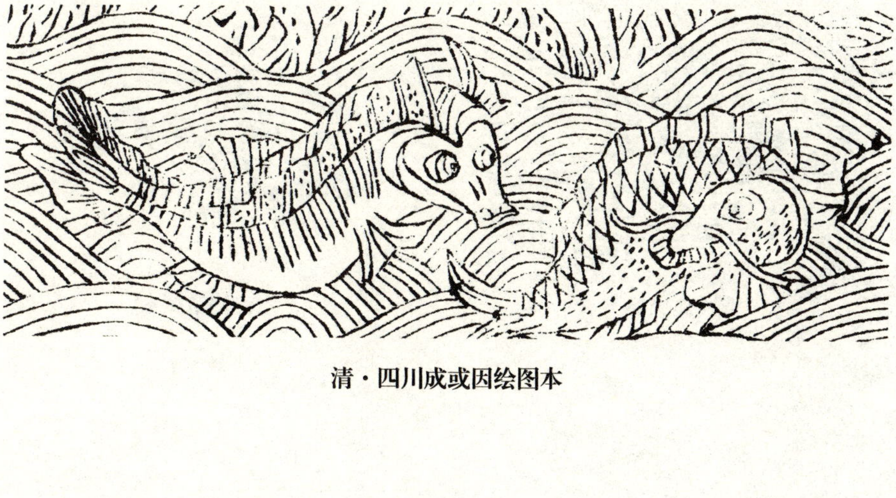

清 · 四川成或因绘图本

清·汪绂图本

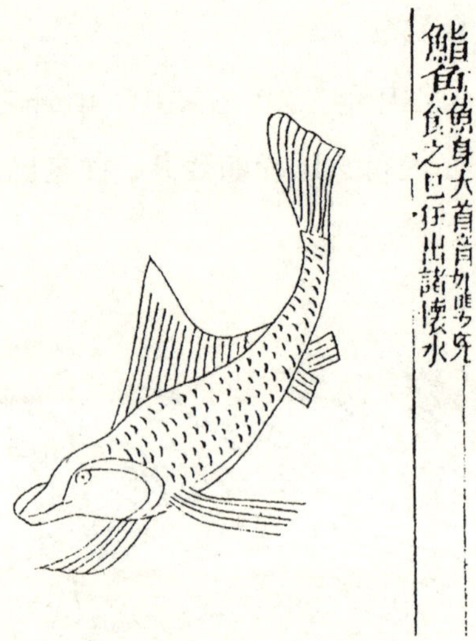

清·吴任臣近文堂图本

清《禽虫典》

上海锦章图本

肥遗（蛇）

【经文】

《北山经》：浑夕之山，无草木，多铜玉。嚣水出焉，而西北流注于海。有蛇一首两身，名曰肥遗，见则其国大旱。

长沙子弹库出土楚帛书十二月神图

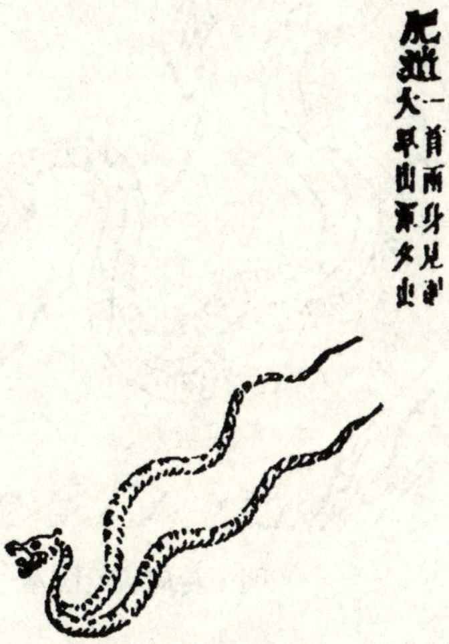

清·吴任臣康熙图本

明·蒋应镐绘图本

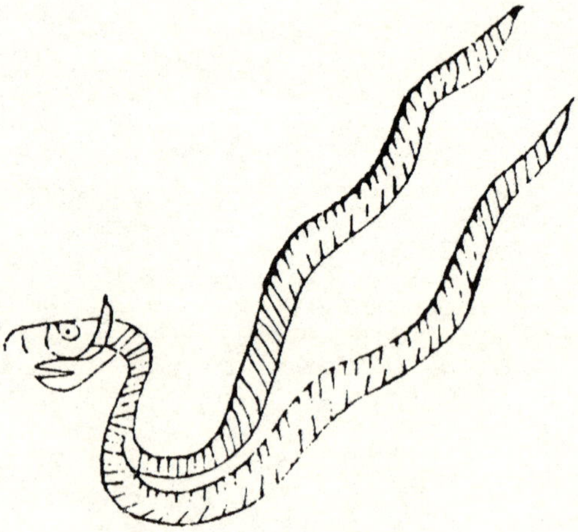

清·吴任臣近文堂图本

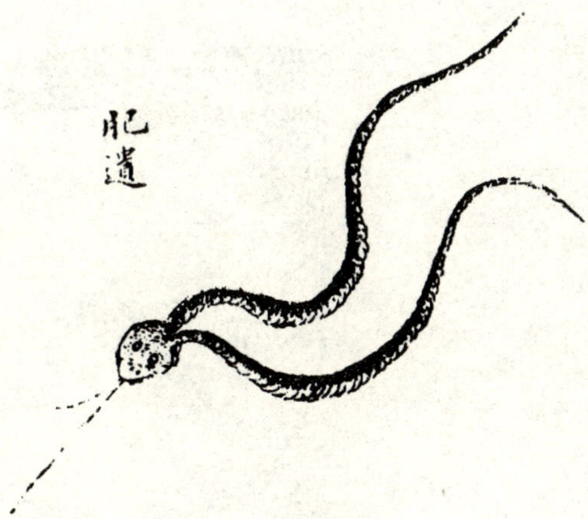

清·汪绂图本

上海锦章图本

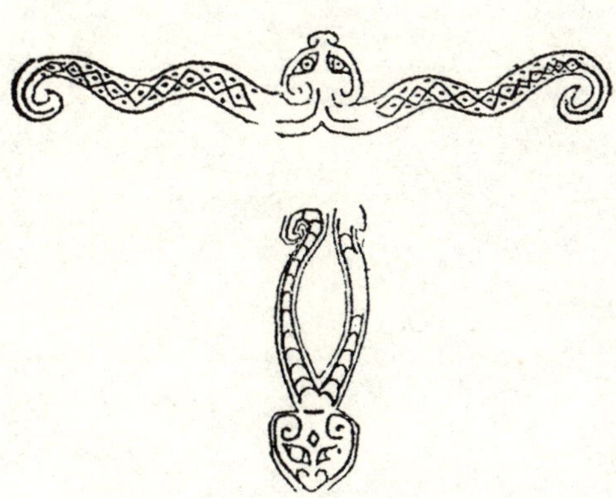

商周青铜器上的一首双身龙蛇蚊

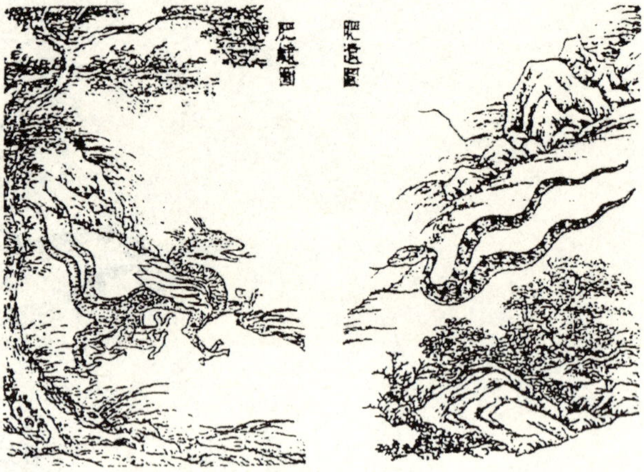

清《禽虫典》

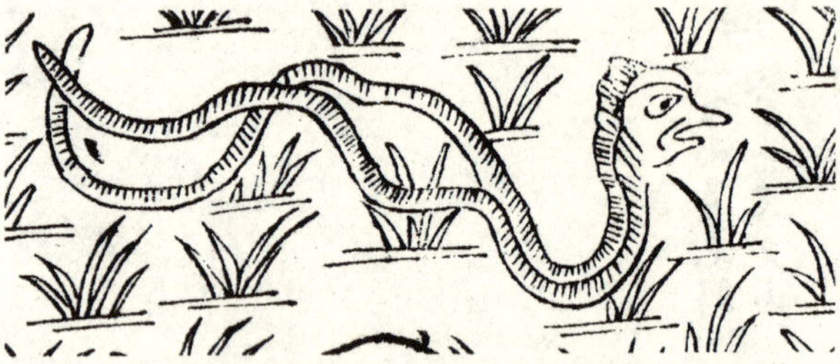

清·四川成或因绘图本

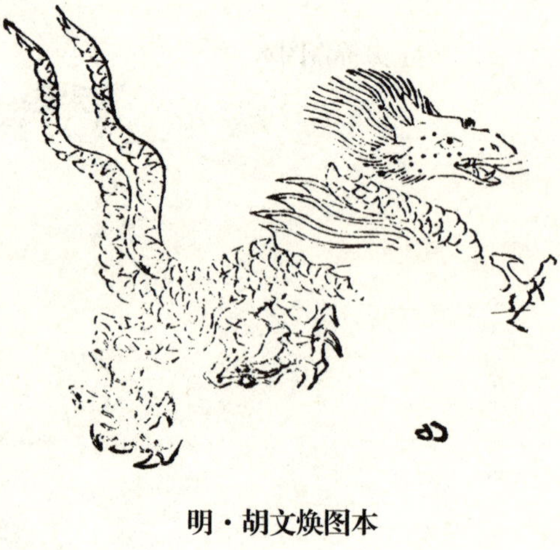

明·胡文焕图本

日本图本

狕

【经文】

《北山经》：隄山，有兽焉，其状如豹而文首，名曰狕。

清《禽虫典》

明·蒋应镐绘图本

清·四川成或因绘图本

清·汪绂图本

龙龟

【经文】

《北山经》：隄山，隄水出焉，而东流注于泰泽，其中多龙龟。

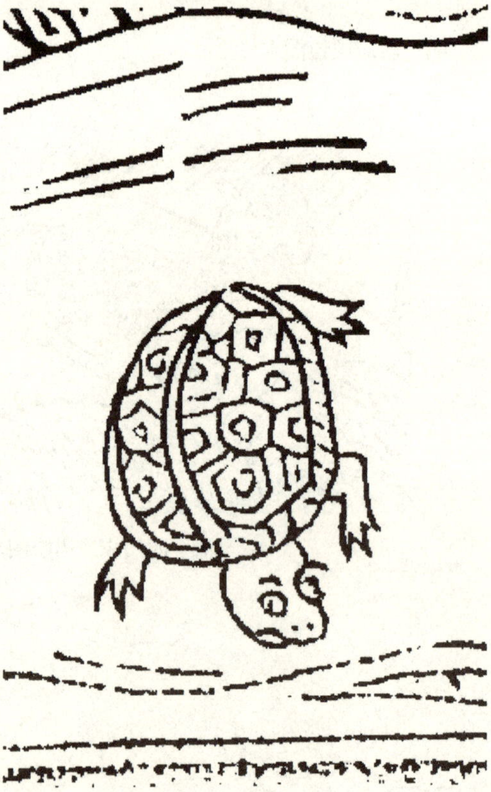

明·蒋应镐绘图本

清·四川成或因绘图本

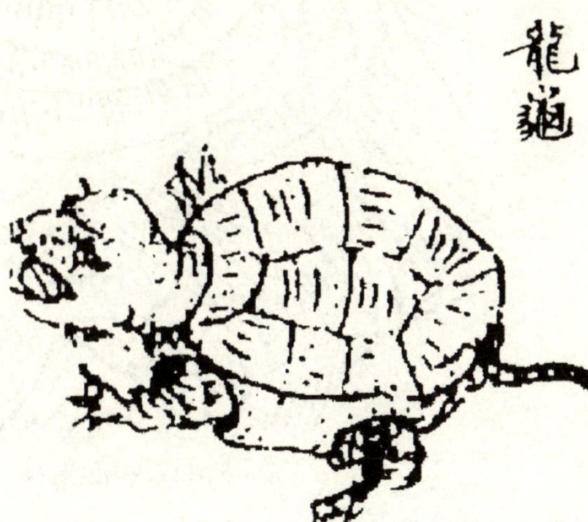

清·汪绂图本

人面蛇身神

【经文】

《北山经》：自单狐之山至于隄山，凡二十五山，五千四百九十里。其神皆人面蛇身。其山北人，皆生食不火之物。

清·四川成或因绘图本

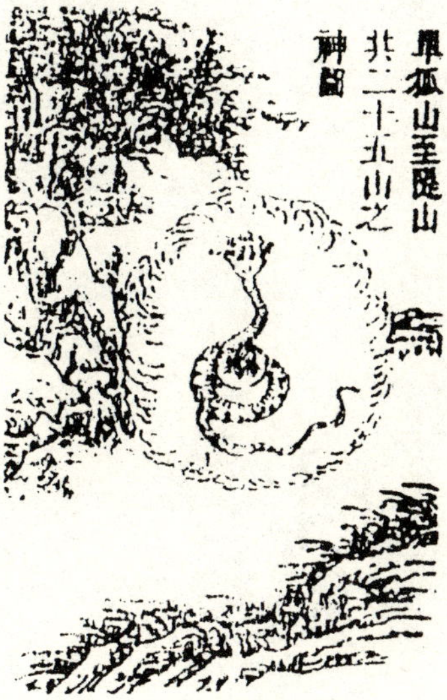

清《神异典》

明·蒋应镐绘图本

清·汪绂图本

闾

【经文】

《北次二经》：县雍之山，其兽多闾、麋。

清 · 汪绂图本

䑏马

【经文】

《北次二经》：敦头之山，其上多金玉，无草木。旄水出焉，而东流注于邛泽，其中多䑏马，牛尾而白身，一角，其音如呼。

明·蒋应镐绘图本

清·汪绂图本

清《禽虫典》

清・吴任臣康熙图本

清・四川成或因绘图本

狍鸮

【经文】

《北次二经》：钩吾之山，有兽焉，其状如羊身人面，其目在腋下，虎齿人爪，其音如婴儿，名曰狍鸮，是食人。

明·蒋应镐绘图本

清·四川成或因绘图本

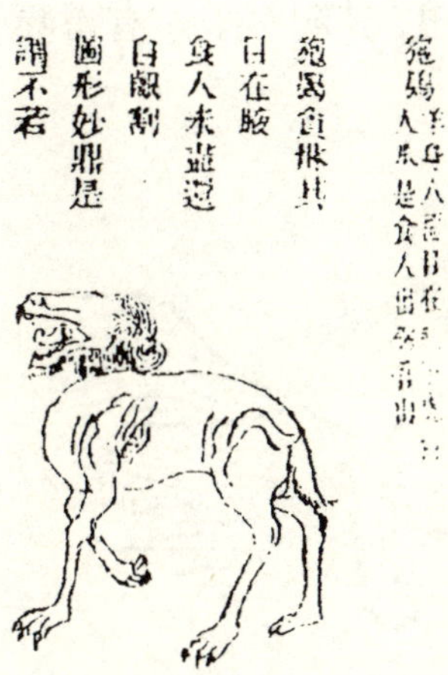

清·郝懿行图本

清·汪绂图本

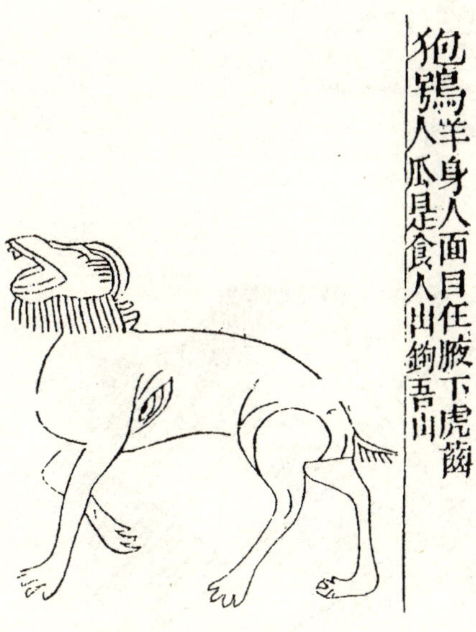

清·吴任臣近文堂图本

清《禽虫典》

独狢

【经文】

《北次二经》：北嚻之山，无石，其阳多碧，其阴多玉。有兽焉，其状如虎，而白身犬首，马尾彘鬣，名曰独狢。

明·蒋应镐绘图本

清·四川成或因绘图本

清·汪绂图本

清《禽虫典》

⿱般鸟鹛

【经文】

《北次二经》：北嚣之山。有鸟焉，其状如乌，人面，名曰⿱般鸟鹛。宵飞而昼伏。食之已暍。

清・吴任臣近文堂图本

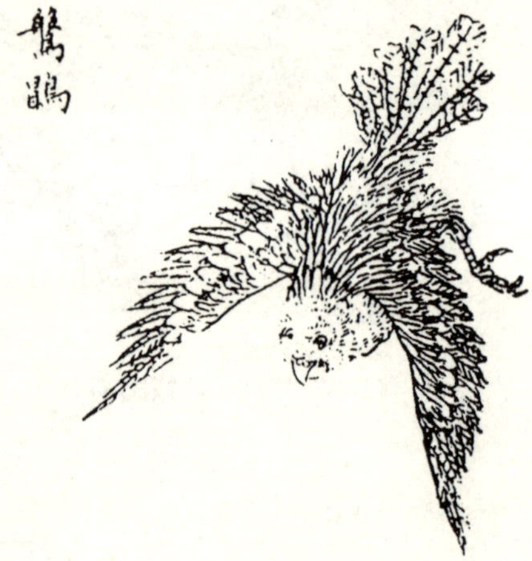

清・汪绂图本

上海锦章图本

清・吴任臣康熙图本

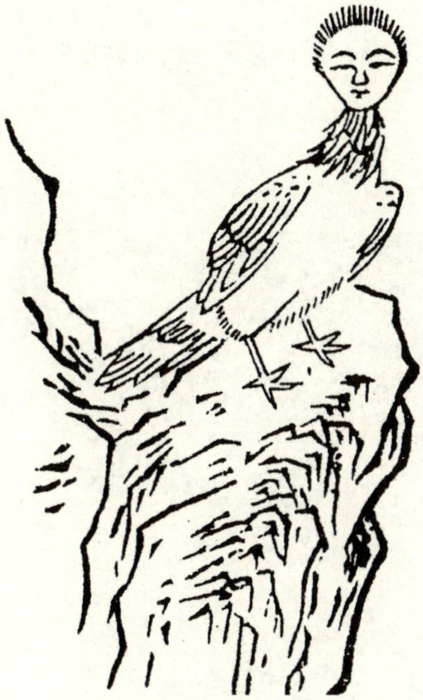

明·蒋应镐绘图本

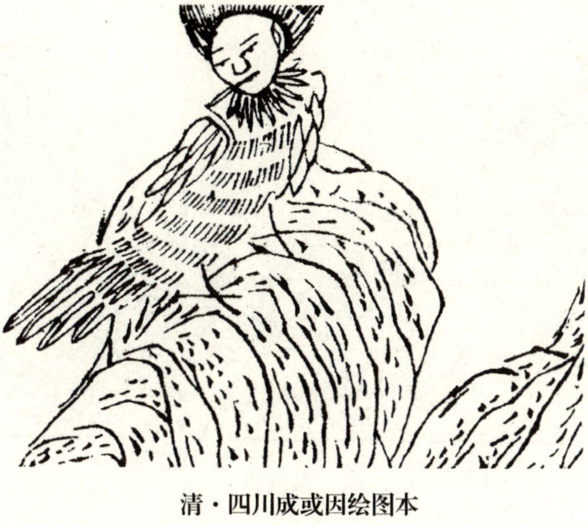

清·四川成或因绘图本

居暨

【经文】

《北次二经》：梁渠之山，其兽多居暨，其状如彙而赤毛，其音如豚。

清《禽虫典》

明·蒋应镐绘图本

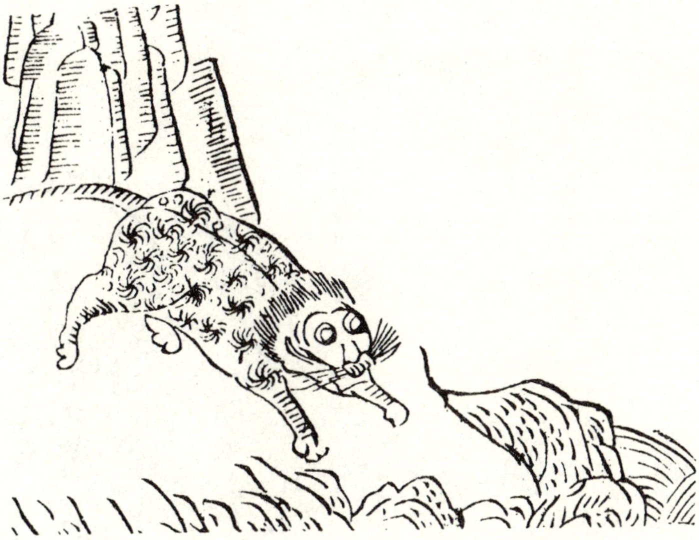

清·四川成或因绘图本

嚻(鸟)

【经文】

《北次二经》:梁渠之山，有鸟焉，其状如夸父，四翼、一目、犬尾，名曰嚻，其音如鹊，食之已腹痛，可以止衕。

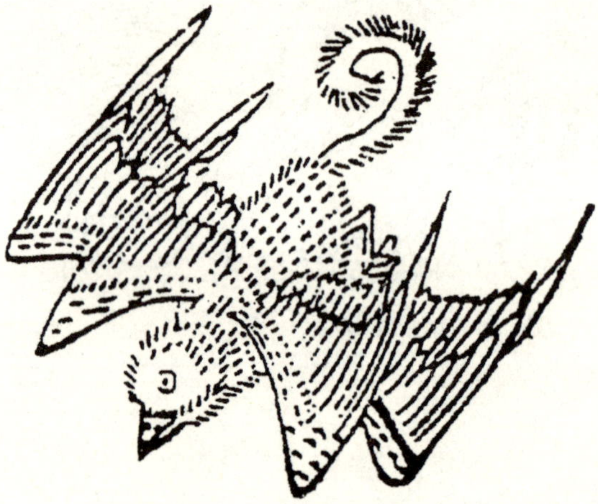

明·蒋应镐绘图本

清·四川成或因绘图本

清・吴任臣近文堂图本

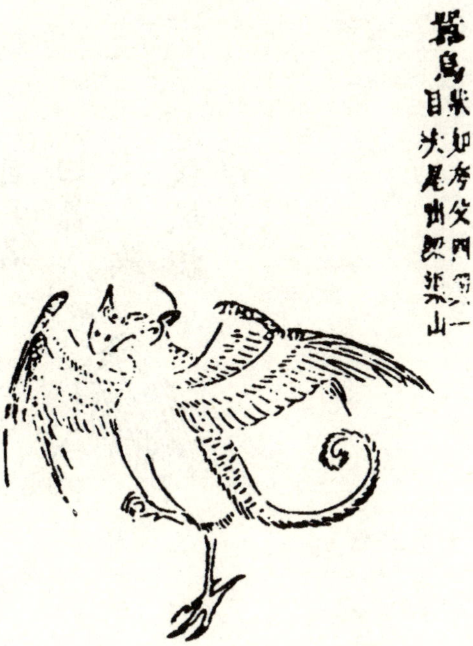

清・吴任臣康熙图本

清·汪绂图本

上海锦章图本

蛇身人面神

【经文】

《北次二经》：自管涔之山至于敦题之山，凡十七山，五千六百九十里。其神皆蛇身人面。

清·汪绂图本

驿

【经文】

《北次三经》：归山，有兽焉，其状如麢羊而四角，马尾而有距，其名曰驿，善还（音旋，xuán），其名自训（同叫，吴本作叫）。

明·蒋应镐绘图本

明·胡文焕图本

清·郝懿行图本

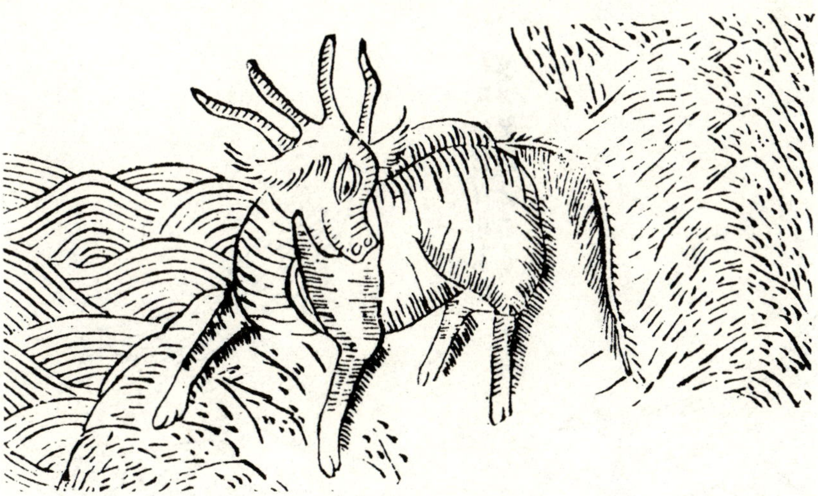

清·四川成或因绘图本

鶌

【经文】

《北次三经》：归山，有鸟焉，其状如鹊，白身、赤尾、六足，其名曰鶌，是善惊，其鸣自设。

明 · 蒋应镐绘图本

清 · 吴任臣康熙图本

清 · 吴任臣近文堂图本

上海锦章图本

清·四川成或因绘图本

天马

【经文】

《北次三经》：马成之山，有兽焉，其状如白犬而黑头，见人则飞，其名曰天马，其鸣自训。

明·胡文焕图本

清·吴任臣近文堂图本

明·蒋应镐绘图本

清·四川成或因绘图本

清·汪绂图本

鶌鶋

【经文】

《北次三经》：马成之山，有鸟焉，其状如乌，首白而身青、足黄，是名曰鶌鶋，其鸣自詨，食之不饥，可以已寓。

明·蒋应镐绘图本

清·汪绂图本

清《禽虫典》

飞鼠

【经文】

《北次三经》：天池之山，其上无草木，多文石。有兽焉，其状如兔而鼠首，以其背飞，其名曰飞鼠。

明·胡文焕图本

清·四川成或因绘图本

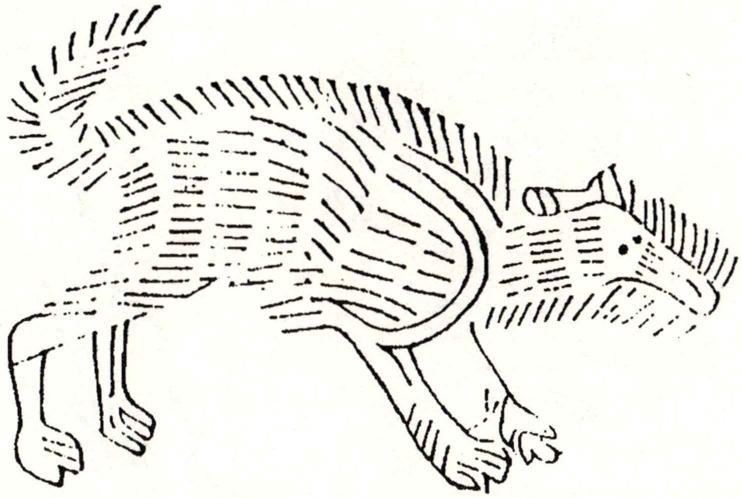

清·吴任臣近文堂图本

清·汪绂图本

明·蒋应镐绘图本